ハイ☆スピード!

おおじ《Ohji》 こうじ《Kouji》
Illustration／西屋太志

七瀬《ななせ》　遙《はるか》

無愛想で無表情だが、強いエネルギーの放出を感じさせる。
フリーにこだわりを持っており、フリー以外は泳がない。
その泳ぎは優雅で美しい。

橘《たちばな》　真琴《まこと》

遙の幼馴染で親友。
明るくお人よしで想いやりがあり、よく遙の世話を焼きたがる。
力任せに泳ぐ癖がある。

葉月《はづき》　渚《なぎさ》

遙の一つ年下で５年生。
天真爛漫。純粋で単純。
遙に憧れており、
遙に懐いている。

松岡《まつおか》　凜《りん》

遙達の学校に転校して来た。
お調子者でよくしゃべる性格
だが、計画的で鋭い洞察力を
持っている。
遙に一目を置いている。

「速いな。
ほんとに小学生?」

「君、たしか佐野SCの松岡君だよね」

『ハル、ハル！』

人がそこまで何かにおびえる姿を、
凜は見たことがなかった。

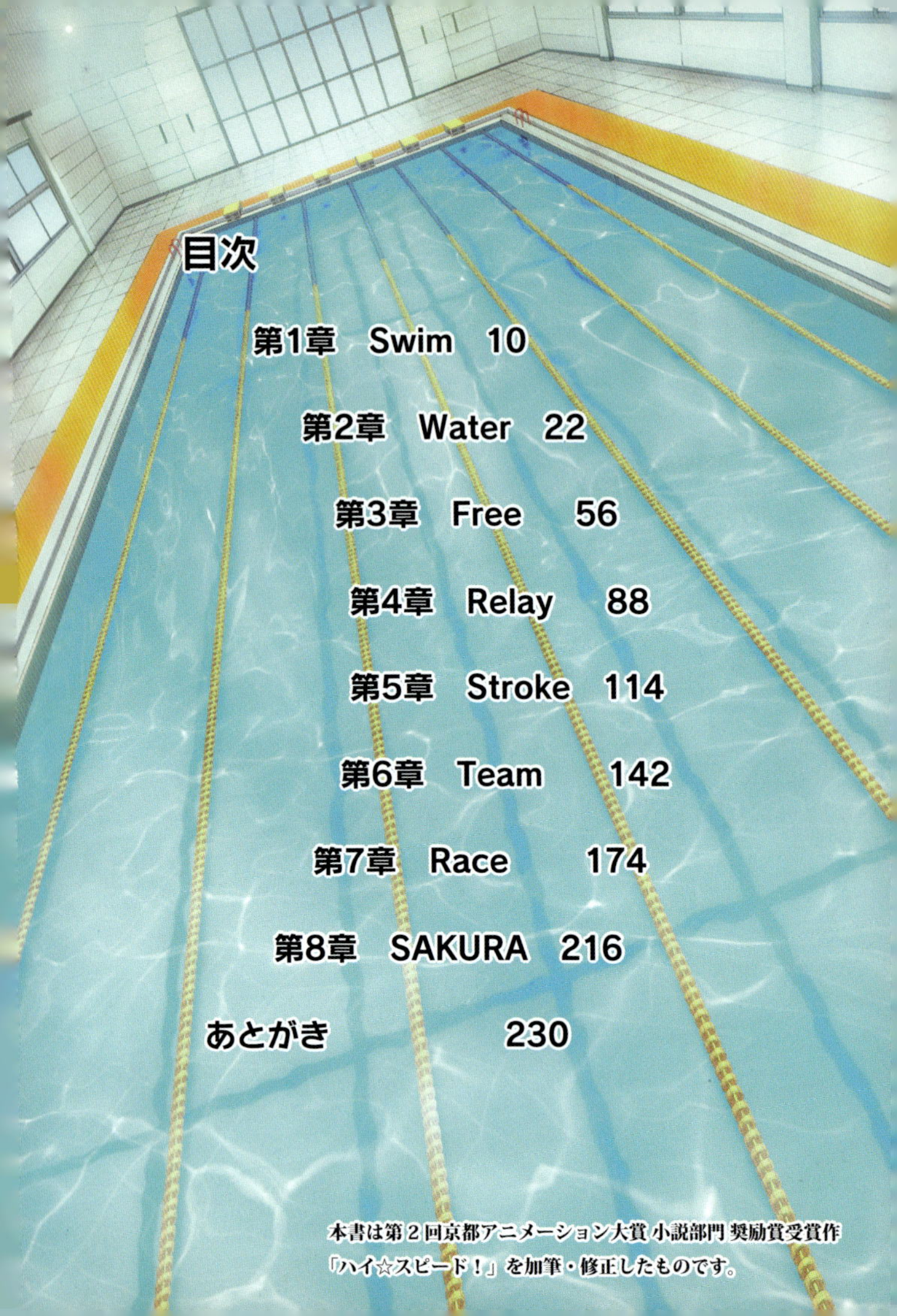

目次

本書は第２回京都アニメーション大賞 小説部門 奨励賞受賞作
「ハイ☆スピード！」を加筆・修正したものです。

ハイ☆スピード!

おおじ《Ohji》 こうじ《Kouji》
Illustration/西屋太志

水は生きている。静かに水面《みなも》を張っている時でさえ、微《かす》かな波紋《はもん》も見逃すまいと、息を潜めて獲物を待ち構えている。そして、ひとたび飛沫《しぶき》を上げて飛び込めば、たちまち牙を剥《む》いて襲い掛かってくる。体にまとわりつき、手足の自由を奪おうとする。抗《あらが》えば抗うほど、それは重く執拗《しつよう》に絡みつき、やがて体力を全て消耗《しょうもう》させられてしまう。

だが、抗うことなく姿勢を整えていけば、水は静かに凪《な》いでいく。その姿勢から水面に指先を突き立てて切れ目を作り出し、ゆっくりと体を滑り込ませていく。腕を、頭を、胸を、腹を、そして足を。

水を拒むのではなく、受け入れるのである。否定するのではなく、存在を認め合うのである。大切なことは、水を感じ取ること。肌で、目で、心で感じること。そして、自分が感じたものを疑わないこと。自分を信じること。

遙《はるか》は、プールの壁面《へきめん》に手を触れ、水から顔を上げた。クロールで１０００ｍも泳いだというのに、息ひとつ乱していない。ゴーグルを外すと、目の前に一本の手が差し延べられてきた。その腕に沿《そ》って視線を上げていく。真琴《まこと》の人なつっこい笑顔が、遙を見下ろしていた。

小学六年生にしては、かなり大きめの体付き。がっちりとした肩幅と、その上にちょこんと乗っかっている、アンバランスなほどの幼《おさな》い顔。そして、ひとのよさそうな八の字眉毛。それが、橘真琴《たちばなまこと》。

遙がその手を握ると、八の字眉毛の笑顔からは想像できないほどの強い力で引き上げられた。

「相変わらず優雅《ゆうが》に泳ぐよね。まるでイルカみたいにさ。ハルちゃん」

「おれのこと、〝ちゃん〟付けで呼ぶの、そろそろやめろよ」

真琴ほどの背丈《せたけ》は無いが、細身に引き締った体は、筋肉質とまでいかなくとも強いエネルギーの放出を感じさせる。そして、どこか遠くを見るような眼差し。それが、七瀬遙《ななせはるか》。

二人が岩鳶《いわとび》スイミングクラブに通い出してから、もう三年になろうとしていた。もともと言い出したのは真琴の方で、遙はそれに付き合っている、という感じが今も続いている。

共通点は、同じ学校の六年生で、同じスイミングクラブに通っていること。そしてもう一つ。女の子のような名前であること。

真琴はそうでもないが、遙はその最後の一点にこだわりを持っている。名前のことでからかわれるのを極度《きょくど》に嫌い、人前では、できるだけ名字《みょうじ》だけを言うようにしていた。それでも名前を言わなければならない時は、いつも決まって横を向き、口の中でつぶやくように言うのが癖《くせ》だった。その様子を見るたびに、真琴はおかしそうな顔をする。

「わかったよ。で、今日はもう終わりにするの？　ハル」

幼稚園のころからハルちゃんと呼ばれ、真琴と呼んできた。その呼び方を変えただけで、二人の関係まで変わってしまったような気がした。

「だから、語尾にいちいち名前を付けなくてもいいだろ。それに、名字で呼ぶようにしろよ」

怒っているわけではないが、無愛想《ぶあいそう》な命令口調。いつものことである。気にしている素振《そぶ》りも見せずに、真琴が笑顔のまま返してくる。

「ハルだってさ、ぼくのこと真琴って呼ぶじゃない。だったら、遙って呼ぼうか？」

耳慣れない呼び方に肩をすくめる。

「その名前で呼んだら、もうおまえとは口をきかないからな」

「だったら、ハルで決まりだね」

いつもそうだった。どんなに強い口調で抑え付けようとしても、どんなに抵抗しようとしても、結局、最後は真琴のペースになってしまうのだ。そんな時は、黙ったまま横を向くのが遙の癖だった。これ以上、言い合うのは面倒くさいし、かといって全面的に降伏《こうふく》したわけではない。それを態度で表すと、遙の場合、黙ったまま横を向くことになる。

真琴は、ゴーグルを装着してスタート台の上に立つと、間髪《かんぱつ》を入れずに飛び込んで行った。

そして、水面に大きな飛沫を上げる。遙とは違って、荒々しいほどのストロークと叩きつけるようなキックで、強引に水の中を突き進んで行く。まるで、獲物を追う獰猛《どうもう》なシャチのように。

遙は、真琴が50ｍ先の壁に到着するのも見届けることなく、シャワールームへと歩き出した。

――真琴のせいで、生ぬるくなった水を早く洗い流したい。

それだけを思いながら、キャップをはぎ取るように脱ぎ去った。

北風が吹き抜けて、ポプラの枝を鳴らしていく。落ちる葉など、もう一枚も残っていませんよと、許しを請《こ》う老人のように木々はその声を震わせていた。

岩鳶小学校の正門から、まっすぐに延びるポプラ並木の道は、片側が二車線もある広い道のわりに車通りも少なく、ただ次の交差点まで続いているだけの道だった。障害物がほとんど無いせいもあって、冬になると風をまともに受けながら歩くことになる。そして、そこを行く子供たちは決まって肩をすぼめ、無口になった。

松岡凛《まつおかりん》が転校して来たのは、年が改まってすぐの、そんな季節だった。

「松岡凛といいます。佐野《さの》小学校から来ました。女の子みたいな名前ですが、ちゃんとした男です。よろしくお願いします」

教室は、水を打ったように静まり返っていた。新しい仲間を前に、緊張しているのだろうか。それとも、普段からおとなしい優等生ばかりなのだろうか。そう思うのも束の間、静けさは一瞬にしてざわめきへと変わった。

六年生の一月という季節はずれの転校生で、しかも女の子のような名前となれば、当然の反応である。そんなことを思いながら凛が教室を見渡していると、一人の少年が立ち上がった。

「松岡君」

橘真琴。人なつっこい笑顔で、うれしそうに凛を見ている。この学校にいることは、あらかじめ知っていた。

「橘……君。同じクラスだったのか」

「うん、そう。ハルちゃ……じゃなかった。ハルも一緒だよ」

真琴が首をひねって横を見る。その視線の先に、無表情のまま凛を見つめる遙がいた。

「そうか、七瀬……君、もいたのか」

七瀬遙。相変わらずの無愛想振り。ここにいることは知っていたけど、同じクラスになるとは思わなかった。

三人の共通点は、同じ六年生で、水泳をしていて、女の子のような名前であること。それと同じクラスであることも、たった今加わった。そのクラスに、新たなざわめきが起き始めていた。三人が、どんな関係なのかについてのざわめきである。謎は好奇《こうき》の対象となり、みんなの興味をすっかり引き付けてしまっていた。

休み時間の度に、クラスメイトが転校生に群がるのは、めずらしい光景ではない。ある意味、転校生の宿命だと言ってもいい。質問攻めに合い、根掘《ねほ》り葉掘《はほ》り聞き出され、丸裸《まるはだか》にされてしまうのである。親しい友達どうしだって、そこまでお互いに知らないだろうと言いたくなるようなことまで、しゃべらされてしまうのだ。とはいえ、転校生としてうまくやっていくには、最初の印象が大切だった。どんな質問にも、笑顔でさわやかに答えなければならない。

しかし、さすがに三度の休憩時間を終えた頃には、やや疲れが出始めていた。そして、昼休みになるとまた、給食を終えた者から順番に集まって来た。

——さて、本日の後半戦、開始といきますか。

そう身構えて大きく息を吸い込んだ時、誰かが凛の肩に手を置いた。それほど力を入れているわけでもないのに、その手から強いエネルギーを感じ、少し顔をしかめた。振り向かなくてもわかる。遙だ——。このクラスでそんなことができるのは、遙以外に考えられなかった。

「ちょっと、付き合えよ」

それだけ言うと、一人で先に歩き出した。立ち上がってはみたものの、遙の強引さにあきれて、ひとつ息をつく。外国人みたいに両手を広げたい場面だったけど、そんなキザなポーズは、きっと転校生らしくないだろうと思い、やめた。どうしようかと、遙の後ろ姿をしばらく眺めていたら、ふいに背中を押されて軽くつんのめった。

「なにしてんの？　置いて行かれるよ」

真琴の笑顔が、凛の横をすり抜けて行く。

「はいはい、行きますよ」

視線を感じて辺りを見回すと、クラスの全員がこの三人のやり取りを好奇心いっぱいの眼差しで見つめていた。つくづくキザなポーズを取らなくて良かったと思う。その視線から逃げ出すように、凛は急いで真琴のあとを追い掛けた。

遙の足は、校舎とプールの間で止まった。大きな桜の木が、冬の寒空いっぱいに、花も葉もない枝を広げている。まるで何かを探し求めているかのように、高い空に向って力強く伸びていた。桜は、学校ができるずっと以前から、そこにあったのだという。

凛が調子の外れた声を上げる。

「すっげーな、この木。桜かなんか？」

桜だよ。遙は、そう思ったけど言わなかった。

「桜だよ」

真琴が、そう答えるだろうと、わかっていたから。

凛は桜の幹《みき》に手を当て、複雑に張り巡らされた枝を透《す》かし、空を見上げた。

「春になるとさ、桜の花が散って、そこのプールに、いっぱい落ちるんだろうな」

遙と真琴が、プールの方を見る。手入れがされていないせいで、枯れ葉が敷き詰められたように散っていた。

「泳いでみたいよな、桜のプール」

凛が妙に感情を込めて言い、その顔を真琴がまじまじと見る。

「その頃には、まだ水が冷たくて無理だよ。やっぱり夏になってから泳いだ方がいいと思うよ」

遙があきれる。

「来年もここにいるつもりか」

その声が北風に鳴く枝の音と重なり、最後の方は搔《か》き消されてしまった。

凛が桜から手を離し、その手をポケットに入れる。

「なんだよ、こんな所に呼び出して。転校生は、初日に締めておこうってか？」

凛は言ってから、おもしろそうに噴き出した。それにつられて真琴も笑う。遙が冷やかな目で見ていると、真琴が軽く咳払《せきばら》いをして凛に向き直った。

「いや、松岡君。冗談は置いといてさ、ききたいことがあるんだけど」

真琴がそこまで言い切らないうちに、凛がその言葉をさえぎった。

「偶然、ほんと偶然なんだよ。たまたま引っ越して来たらさ、この学校だったんだ。おれもビックリしたよ。まさか橘や七瀬と同じクラスだったなんてさ。ほんと、偶然ってこわいよねぇ」

凛とは、市の大会で何度か顔を合せている。それだけの関係だった。特に親しくしているわけでもないし、まともな会話さえ、ほとんどしたことがないのだ。

去年の三月――。最初に声を掛けて来たのは、凛の方からだった。

「速いな。ほんとに小学生？」

遙に言ったのか、真琴に言ったのかわからなかったが、そういう場合は、とりあえず真琴が答えることになっていた。

「君、たしか佐野ＳＣの松岡君だよね」

そう言われた凛が、うれしそうな顔をしていたのを覚えている。

「へー、知っててくれたんだ」

初めて参加した、市の大会でのことだった。遙はフリーの100mで、真琴は平泳ぎの100mでそれぞれ優勝していたが、50mでは、その両方を佐野SCに持っていかれていた。佐野SCの凛ひとりに。

「今日は長水路《ちょうすいろ》しかないけどさ、短水路《たんすいろ》でなら100mでも勝つ自信、あるんだけどな」

負け惜しみや強がりには、聞こえなかった。その通りかもしれないと思う。遙も真琴も、スタートでは凛に先を許していたのだ。二人とも、凛を追い越したのは70m付近、つまりターンをしてからだった。

遙は優勝していても、何もうれしくなかった。勝ち負けなんて、どうでもよかった。勝つために泳いだことなど、一度も無いのだ。ただ、スタートで付けられた差に、妙な苛立《いらだ》ちを感じているだけだった。

遙が凛を抜いてゴールすると、真琴が自分のことのように喜んでいた。

「おめでと。すごいよね、優勝しちゃったよ」

自分だって優勝しているくせに。そう思ったけど、別のことを言った。

「だれだ、あいつ」

大の字になって、プールサイドに寝転がっている凛を目で指した。

「佐野SCの松岡君だって」

元々知っている名前ではなかったし、それを知ったからといって、何がどうなるわけでもなかった。ただ、覚えておきたかったのだ。自分を苛立たせた相手を。ゴーグルをつけたまま、胸を大きく上下させて寝転がっているその姿を。

泣いているのだろうか。視界から消えるほんの一瞬、そんなことを思いながら、遙は凛に背を向けた。

凛が声を掛けて来たのは、そのあとのことだった。話をしたのは、表彰式までのわずかな時間だけ。

「おれもさ、もっと体力つけなくっちゃね」

背丈は遙と変わらないが、よく均整《きんせい》の取れた、いかにも競泳向きといった体格をしていた。

「体力だけじゃないと思うけど」

遙が言った。体力に任せて泳いだことなど、一度だって無かった。そして、フォローは、いつも真琴の役割。

「松岡君のスタートダッシュ、すごいよね。あんなに跳んじゃうなんて、びっくりしちゃった」

「おーい、凛。表彰式、始まるぞ」

遠くから、ヒョロリとしたのが凛を呼んだ。

「わかった、宗介《そうすけ》。すぐ行く」

凛は応《こた》えてから、また遙たちに向き直った。

「今度は負けないぜ。また泳ごうな」

軽く手をあげて立ち去る凛に、真琴が笑顔を返す。

「ぼくたちも君に負けないように、がんばるよ。あ、ほらほら、表彰式始まるよ」

そう言いながら、遙の背中を押した。

それが凛との出会いだった。それから大会の度に、顔を合わせている。


桜の枝が突風《とっぷう》にあおられ、大きくしなりながら悲鳴を上げる。砂ぼこりが舞って、三人とも反射的に目を閉じた。一瞬ではあったが、息ができないほどの強いつむじ風が、遙たちを通り過ぎて行ったのである。砂ぼこりをまとったつむじ風は、うなりをあげて校庭に躍《おど》り出ると、縦横無尽《じゅうおうむじん》にあばれ回り、渦《うず》を巻いた。その風を見ながら、凛が砂まじりのつばを吐き出す。

「なんだよ今の風。砂が口の中に入っちゃったよ。ここは、いつもあんなのが吹くのか？」

そう言って、もう一度つばを吐いた。

「吹かないよ、こんな風。飛ばされるかと思ったよ。もう、校舎に入ろうよ、ハル」

そう言い終わらないうちに、真琴の足は校舎へ向かっていた。校庭で遊ぶ他の子供たちも、風に追われるようにして校舎へ逃げ込んで行く。

桜の木を見せるために、ここへ来たわけではない。まだ何も訊《き》けていないし、何もわからないままなのだ。凪なんかにごまかされてしまうのかと思うと、やりきれない気持ちになった。凛の転校が、ただの偶然なのかどうかは知らない。しかし、そのことが何らかの形で遙や真琴に関わってくることぐらい、容易《ようい》に想像できた。それがどんな形にしろ、きっと面倒なことに違いないのだ。

巻き込まれるのは、御免《ごめん》だった。だから釘を刺しておこうと思い、凛を呼び出したのだ。しかし、もうこれ以上追求することさえ面倒に思えてきた。こだわれば、こだわるほど、深く関わることになってしまう。

校舎に逃げ込む凛に向けていた視線を外し、遙は凪にしなる桜の木を一度だけ見上げた。

小さな漁港を見下ろすような形で、小高い山の上に鶚崎《みさござき》神社があった。参道《さんどう》の石段を半分ほど登ったところに、手水舎《ちょうずや》を脇に据える一の鳥居があり、その石段を登り切ったところには、境内《けいだい》を背にした二の鳥居が控えている。境内のすぐ背後には、日の光を乱反射させながら海が広がっており、鶚崎神社からの展望《てんぼう》は、古《いにしえ》の歌人《かじん》に詠《よ》まれるほど壮大な景観であった。平野部《へいやぶ》が少ないため、港町の集落は小さく、肩を寄せ合うようにして民家がひしめき合っている。四方を海と山に囲まれ、外部との交通手段が一本の道だけしか無いため、岩鳶の集落は陸の孤島《ことう》を形成していた。集落は平野部だけでまかないきれず、山の斜面や林道にまで及び、鶚崎神社の参道である石段の脇にも、両側から挟むようにして民家が建ち並んでいた。

歴史を背負う神社だけあって古色蒼然《こしょくそうぜん》とはしているが、その堂々とした佇《たたず》まいは威厳《いげん》に満ちあふれ、古式《こしき》ゆかしい様々な行事が執《と》り行われていた。秋になると、この神社から出た神輿《みこし》が石段を一気に駆け下り、港を一巡《ひとめぐ》りしたあと、そのまま海に入って行くという勇壮《ゆうそう》な祭りがある。五穀豊穣《ごこくほうじょう》に感謝する祭りなのだそうだが、なぜ海に入るのかといえば、やはり漁師町だからとしか答えようがなかった。港を見下ろすこの神社は、必然的に漁の安全を見守る役目も担《にな》わされているのである。だから漁師たちは皆、船の上から柏手を打って海に出て行く。つまり鶚崎神社は、五穀豊穣の恵みと大漁安全を司《つかさど》り、時には安産や学業成就《がくぎょうじょうじゅ》の面倒まで見てくれる、ありがたくもお忙しい神様をお祀《まつ》りする神社なのである。

遙の家は、鴨崎神社の石段を半分ほど登り、手水舎のある一の鳥居を左へ折れたところにあった。だから、どこへ行くにしろ、必ず石段を登り下りすることになる。別の道もあるにはあったが、無計画に乱立した民家のせいで複雑に入り組み、細い迷路のようになっているため、そこを抜けるよりも神社の石段を下りた方が確実に早いのである。だから、自転車は石段の下に留めてあった。

スイミングクラブへは、一度家に帰ってから自転車で通っている。遙は、学校から帰るなり、必要なものをバッグに詰め込むと、またすぐに玄関を開けた。石段を下りてから、真琴の家を仰《あお》ぎ見る。真琴の家は、石段を挟んだ向かい側にあり、その玄関に続く階段が、神社の石段を下り切ったところにまで延びていた。

たいていの場合、このタイミングで真琴の笑顔と合流するのだが、今日は遅れているようだった。特に約束しているわけでもないし、待つ必要があるわけでもない。真琴には幼稚園に通う弟と妹がいて、何かと手を取られることも多いのだそうだ。そのまま自転車にまたがり、ペダルに足を掛ける。途中で追い着いて来るかもしれないし、どうせスイミングクラブで顔を合わせるのだ。苛々《いらいら》しながら待つよりも、さっさと行ってしまった方が、お互いに気が楽だった。

遙は、もう一度だけ真琴の家に続く階段を見上げてから、ペダルに力を入れた。

スイミングクラブまでは、約十分。その途中、岐和川《しわがわ》という一級河川《いっきゅうかせん》を渡る。冬の間は、いつも川に沿って風が吹き抜けていた。そこに架《か》かる睦月橋《むつきばし》という大きな橋を渡り、土手《どて》に沿ってしばらく行くと、すぐに波の音が聞こえてくる。入り江の港には、白い漁船がひしめき合うように停泊《ていはく》していて、そこが漁師町であることを物語っていた。波に揺れる何本もの白いマストを横目に見ながら、港を抜けた先に岩鳶SCがある。

遙は、岩鳶の集落を抜け、睦月橋に差し掛かろうとしていた。橋を渡り始めるなり、風が横《よこ》殴《なぐ》りに叩きつけてきて、思わず顔をしかめる。今日は、一段と強く吹いていた。強風にあおられながら橋の中ほどまで来た時、矢崎亜紀《やざきあき》の物憂《ものう》げに佇む姿が小さく見えた。何やら自転車を止めて、川面《かわも》を覗《のぞ》き込んでいる様子だった。

同じクラスで、岩鳶SCに通っていること。それが遙との共通点である。

近付いて行くにつれて、亜紀の困った顔が、はっきりと見えてきた。このまま黙って通り過ぎようか。それとも声ぐらい掛けてやった方がいいのだろうか。少し迷って振り向いてみたが、真琴はまだ来そうになかった。

——何をつまらないことで迷ってんだ。何で真琴なんかをあてにしてんだ。

心の中で自分に舌打ちをした時、亜紀が遙に気付いて、沈んだ笑顔を向けてきた。

「あ、七瀬君」

「おう。どうした」

ブレーキを握り、亜紀の前で止まる。

「うん、マフラーが――」

そう言って、亜紀が視線を川に落とす。その視線の先に、白いマフラーが漂《ただよ》うように流れていた。岐和川は、一級河川というだけあって川幅《かわはば》もかなりある。橋を渡って土手を下りても、とうてい届かないような所をマフラーは流れていた。

「無理だな。あきらめるしかないよ」

「うん……」

冷たく聞こえただろうか。言ってから少しだけ気になったけど、実際どうしようもない。

無理だということは分かっていても、あきらめきれないのだろう。亜紀は漂うマフラーから視線を外そうとしなかった。遙は、いつもの亜紀らしくない顔から目をそらし、ペダルに足を掛けた。

「先に行ってるぞ」

「うん……」

亜紀が応えるより先に、遙はペダルをこぎ出していた。亜紀の姿が遠くなるのを背中で感じながら、睦月橋を渡り切る。川沿いに土手を走っていると、水面に漂う白いマフラーが目の端に見え隠れした。遙は川から目をそらし、岩鳶ＳＣへと自転車を走らせた。

真琴が更衣室に来たのは、遙がゴーグルを着けようとしている時だった。

「ごめん、ハル。出掛《でか》けにさ、金魚鉢《きんぎょばち》が汚れてて、ちょっと洗ってたんだ。おかげで遅くなっちゃった」

——そんなの、帰ってからすればいいだろ。

着替え始めた真琴をそういう目で見てから、ふと、亜紀のことが頭の隅《すみ》をかすめた。真琴が橋を渡る時も、亜紀はまだいたのだろうか。

「さっき、橋の上で……」

言い掛けてから、どうでもいいかと思い、やめた。

「なに？　橋がどうかしたの？」

「いや、やっぱりいい」

「そう言えばさ、橋を渡った所でザキちゃんと一緒になったよ。なんか元気なかったな」

亜紀は〝ザキ〟という愛称《あいしょう》で呼ばれていた。〝ヤザキ〟と〝アキ〟を引っ掛けたものらしい。真琴はそれに、〝ちゃん〟を付けて呼んでいる。

「マフラー、落としたらしいぜ」

「あ、そうなの。橋の上は風が強いからね」

——知ってたのか。

落としたとは言ったが、風に飛ばされたとは言っていない。道に落として失くしたのかもしれないし、むしろ、そう取る方が自然だった。つまり真琴は、亜紀から聞いていたのに知らない振りをしたのだ。ひょっとしたら、遙に冷たくされたと聞いたのかもしれない。それで遙のことをなじった……つもりなのだろうか。

どっちにしてもつまらないことだ。これ以上、話を続けるつもりはなかった。

「先に行く」

「うん」

遙は更衣室をあとにした。


「松岡凛といいます。佐野SCから来ました。女の子みたいな名前ですが、ちゃんとした男です。よろしくお願いします」

十分、予測できたことである。改めておどろくほどのことでもない。この地域のスイミングクラブは、ここしかないのだ。凛が何をしようと、もう関わるつもりは無かった。好きにすればいい。面倒は御免だった。

「いやいや、偶然って重なるよね。転校して来たら、スイミングクラブまで一緒だったなんてさ」

ばかばかしくて相手にしてられない。あとは真琴に任せて、プールの中へ飛び込む。

水の中に指先で切れ目を作り出し、そこへ潜《もぐ》り込んで行く。腕から頭、胸、腹そして足。力ずくでもなく、身を任せるのでもない。水に受け入れられ、そして受け入れてゆく。共に存在していることを認め合うのである。排他《はいた》するのでもない。一体となるのでもない。もともと異質《いしつ》のものでありながら、互いに否定しない関係であり続ける。遙にとって、泳ぐということはそういうことだった。

水の中にいると、面倒なことから解放されていく。心の中に立っていたさざなみが、静かに凪いでいくのを感じる。凛のこと、亜紀のこと、マフラーのこと、風のこと。忘れてしまえるわけではないが、ほんのひと時だけ解き放たれるのである。

クロールで１０００ｍを泳ぎ切り、顔を上げた。それを待ち構えていたように、プールサイドから真琴が手を差し延べてくる。

「お疲れさん」

疲れるような泳ぎ方はしていない。むしろ息が乱れているのは、真琴の方だ。自分も１０００ｍを泳いだばかりなのだろう。それも可能な限り全力で。

昔からそうだった。真琴は泳ぐ時、いつも手を抜いたりしない。決して、流すような泳ぎ方をしないのだ。それをどうしてかと尋ねたことも、尋ねようと思ったことも無かったけど。

「あいつは？」

真琴の手に引き上げられながら、凛のことを訊いた。

「泳いでるよ。ほら、あそこ」

一番端のレーンで、水の感触を確かめるようにストロークを繰り返していた。そのことを確認してから、遙は歩き出した。

「向こうで短水路やるから、タイム計ってくれ」

タイムなんか、どうでもよかった。ただ、凛から少しでも遠い場所にいたかっただけである。面倒なことに巻き込まれるのは御免だった。自分よりも、真琴に関わらせたくなかった。真琴が関われれば、いずれ必ず遙にも降り掛かってくることになる。それだけは断言できた。

真琴が両手を広げて、あきれた顔をするのにも構わず、遙は短水路のプールへと歩き続けた。

凛が、ゆったりとしたクロールで１０００ｍを泳ぎ切り、顔を上げると、小動物のようなクリクリとした目の男の子が、上から覗き込んでいた。アメンボかザリガニでも探しているような目で、まばたきもせずに凛を見下ろしている。

「なに？」

下から覗き返してやる。

「松岡君って、七瀬君の友達？」

まっすぐに、見つめてくる。

「友達っていうか、ライバルかな」

「ライバルってなに？　えらそうにイバッてるの？」

まばたき一つしない。

「競争相手ってこと」

言いながら視線を外して、プールサイドに上がる。あんまり長く見つめ合っていると、目の奥まで覗かれそうな気がした。

「七瀬君と、どっちが速いの？」

「50ｍならおれ、１００ｍなら七瀬ってとこかな」

凛が立ち上がると、男の子も立ち上がった。ずい分、きゃしゃな体付きだと思う。四年生ぐらいだろうか。

「なんで？」

「なにが？」

「なんで50ｍだと速いのに、１００ｍだとおそいの？　あ、わかった。50ｍしか泳げないんでしょ。ひょっとして、息継《いきつ》ぎができないとか。ぼくが、教えてあげようか？」

「けっこう！　ちゃんと１００ｍ泳げるし、息継ぎもできる」

「ふふ。ぼくなんてさ、最高５００ｍも泳いだことがあるんだからね。それでね、一月から競泳コースになったんだよ。ブレが一番得意なんだけど、あ、ブレって平泳ぎのことね。５００ｍも泳げるの、クラスでぼくだけなんだからね」

「クラスって……、学校の？」

「うん、五年三組」

とんだ自慢話に付き合わされたもんだ。凛はゴーグルを上げて、遙と真琴を探した。

「ねえ、松岡君は何が得意なの？」

「なんでも」

「なんでもって、バッタも？」

バタフライは、四泳法《よんえいほう》の中でも最後に習うことになっている。競泳コースに上がったばかりなら、まだ十分に泳げないのだろう。

「バッタもバックもフリーもブレも。ついでに犬掻《いぬか》きは、得意中の得意」

どこに消えたのか、遙も真琴も見当たらない。

「すごいね。松岡君、コンメできるじゃない」

「できる」

個人メドレーなら三年の時からやっている。自慢にもならない。いい加減、うるさくなってきた。クリクリとした目で見つめられるのも限界だ。

「ぼく、葉月渚《はづきなぎさ》。ねえ松岡君、ぼくのバッタ見てよ。なんだかね、ちゃんと前に進まないの」

「肘《ひじ》が曲がってる。ハイエルボーをキープできてない。腰が使えてない」

真琴がいた。短水路でタイムを計っている。とすると、泳いでるのが遙か。

「えー、まだ見てないのに、適当なこと言わないでよ」

「うるさいな。見なくても、大体そんな……」

渚が涙目《なみだめ》になっていた。

「うるさいなんて、言わないでよ。ちゃんと見てよ」

涙目のまま、まっすぐに凛を見てくる。こんなところで、泣かれても困る。

「わ、わかったよ。見てやるよ」

渚が、パッと満面《まんめん》の笑顔になった。

「ほんと？　じゃあ、ここで泳ぐね」

ゴーグルを装着すると、さっきまで凛の泳いでいたレーンに飛び込んで行った。まず、飛び込みの基礎から学び直した方がいいと思う。バタフライに関しては、言うに及ばず。あらかじめ指摘した通りだった。〝バッタ〟が泳ぐと、こんな感じかもしれない。バタフライではなく、グラスホッパーと改名した方がいい。ある意味、新しい泳ぎ方だ。

ゾクリと寒気を感じた。これは、ひょっとして毎回見てやらねばならないのだろうか。ちゃんと泳げるようになるまで、あのクリクリとした目に付きまとわれるのだろうか。そうなってしまうような気がしてならなかった。

今まで嫌な予感という奴に限って、ほぼ百％の確率で的中してきたことを思い起こしながら、凛は渚のグラスホッパーを見るともなく眺めていた。


「よし、今日はここまで。だいぶんうまくなったじゃないか」

凛が言うと、水の中で荒い息をしながら、渚が喜色《きしょく》を浮かべた。

「ほんと？　ぼく、うまくなった？」

――ああ、うまくなったさ。〝グラスホッパー泳ぎ〟がな。

「早く上がって来いよ。いいもの見せてやるから」

「なになに？」

渚が好奇心いっぱいの目をしながら、プールサイドに上がって来た。

「こっち、こっち」

凛が手招きしながら、小走りに短水路のプールへ向かう。

「どこ行くの？　松岡君」

「おまえさ、さっき、おれと七瀬、どっちが速いかってきいたよな」

「うん」

「今から見せてやるよ」

凛がおもしろそうに言う。

真琴に駆け寄ると、凛に気が付いて振り向いた。

「あ、松岡君」

手には、ストップウォッチを持っている。短水路のレーンで泳いでるのが遙だ。優雅にクロールのストロークを繰り返している。

「今、何ｍ？」

「え、50ｍのターンだけど……」

遙が、クイックターンで折り返して行く。凛はゴーグルを装着すると、ゴムをパチンと鳴らしながらスタート台に立ち、そのまま隣のレーンに飛び込んで行った。

飛沫を上げ、ドルフィンキックで水を切り裂く。浮上しながらストロークを開始。その時点で遙と体半分の差。

——のんびり泳いでんなよ。さあ、喰《く》い付いて来い！

猛然《もうぜん》と遙を追い上げ、20ｍ付近で完全に並んだ。そして、同時にクイックターン。凛が伸びる。ドルフィンから浮上。ストロークの開始。遙の指先を腰の辺りに感じる。

残り15ｍ付近で遙の泳ぎが変わった。回転が速くなったわけではない。力が入ったわけでもない。しかし、凛にはそれがわかった。

感じるのだ。エネルギーの塊《かたまり》のような、凄《すさ》まじい気迫《きはく》を。

——来た！　来い。来い。もっと来い！

遙が肩に噛《か》み付き、凛の頭を捕《と》らえる。残り５ｍ。

——抜かれる。抜かれる。抜かせてたまるか！

頭が並ぶ。そして、壁にタッチ。

水から顔を上げ、凛が真琴に叫ぶ。

「どっちだ！」

真琴の隣には、渚もいた。二人が同時に遙を指さす。その遙が、息も乱さずに軽くプールサイドへ上がる。凛は回復するのに、まだ少し時間が掛かりそうだった。遙に追い上げられるプレッシャーが、凛に深いダメージを与えていたのだ。

「で、七瀬の百、何秒？」

遙が真琴からストップウォッチを取り上げ、それをまた真琴に返した。そして、そのまま歩いて行く。

真琴は、ストップウォッチを見てから凛に言った。

「リセットされちゃった」

歩き去る遙に、渚がまとわりつく。

「七瀬君、すごかったね。かっこよかったね。ね、ね、今度さ、ぼくにもフリー、教えてよ」

渚の声が遠ざかって行くのを聞きながら、凛は水の中に体を沈めた。

——やっぱ、速ぇ。

どこかワクワクしてくる気持ちを抑えられないまま、凛は水の中でつぶやいた。

遙は、バッグを肩に担いで、更衣室からロビーに出た。ひんやりとした感触《かんしょく》が床から足に伝わってきて、まだ冬なのだということを思い知らされる。歩きながら、さっきのことを考えていた。どうして、あんなにムキになってしまったのだろうかと。

ターンの手前で並び掛けられた時、それが凛なのだと、すぐにわかった。何度も大会で泳いでいるのだ。水に伝わる波紋の感触でわかる。それに、あんな競争を仕掛けてくる奴なんか、このクラブにはいない。わかった瞬間、ふつりと何かが沸《わ》いた。自分よりも水を感じている奴が目の前にいるのだと思うと、体が熱くなった。体中を熱いものが流れた。抑えようという気持ちさえ働かなかった。

プールサイドに上がってからも、不完全燃焼《ふかんぜんねんしょう》を起こしたように、ずっとくすぶっていた。そんなものが自分の体の中にあるのかと思うと、気持ちが苛立ち、もう泳ぐ気にもなれなかった。泳げば、再燃《さいねん》しそうな気がした。そして、凛なんかに感情を乱したのかと思うと、自分が嫌になった。挑発《ちょうはつ》されて、まんまと乗ってしまった自分を深く悔《く》いながら、遙はプールをあとにした。

何気なく見上げた休憩室の壁に、歴代会員の写真がずらりと飾られていた。毎年、三月の終わりに撮っている集合写真だ。そんな写真が飾られていることは知っていたけど、今までたいして気にも留《と》めていなかった。遙の写っているのも二枚あった。端《はし》の方で、つまらなさそうに立っている。

改めて見ると、ずいぶん数があることに気が付いた。一番古いのは二十三年も前のもので、人数も今と比べてかなり少ない。まん中にいる少年がトロフィーを持って笑っていた。首から掛けられたメダルには、『第十八回』の文字が読み取れる。その写真だけではない。どの写真にも、トロフィーや楯《たて》を持っている人が写っていて、みんな笑っていた。

今年は自分も、あんな格好をさせられるのだろうか。そう思うと少しうんざりした。

外に出ると、いきなり風がほほを叩いてきた。

――まだ吹いてたのか。

そういう顔をしながら、遙は駐輪場《ちゆうりんじょう》へ向かった。

「うわ、すごい風だね」

後ろから真琴が来ていた。思っていることを何でも口にする奴だと思う。時々、遙の思っていることまで代わりにしゃべってくれる。お節介《せつかい》な奴である。

「いやあ、泳いだ泳いだ」

まるで、温泉にでも浸《つ》かったおやじのような口振《くちぶ》りでクラブから出て来た凛が、遙たちとは異なる方向へ歩き出した。それを見て真琴が声を掛ける。

「松岡君。駐輪場、こっちだよ」

「いや、おれまだ自転車持って来てないんだ」

「それだったら、後ろに乗ってけば。家まで送るよ」

またよけいなことを言う。ほっとけばいいのに。

遙は、真琴に構わず歩き続けた。

「いいよ。そんなに遠くじゃないから。また明日な」

遙にも聞こえるような声で言い、凛は駐輪場とは反対の方へ歩き出した。

遙と真琴は、漁港をかすめるようにして自転車を走らせ、岐和川の土手に出た。睦月橋を渡るには、この道しかないのである。遙は無意識のうちに川面を見ていた。しかし、マフラーは、もうどこにも見当たらなかった。沈んでしまったのか、あるいは海まで流されてしまったか。

橋を渡る直前で、白い息を吐きながら走る凛に追い着いた。トレーニングウエアの上からリュックをきつく固定し、白いランニングシューズでリズムミカルに地面を蹴っていた。走るための準備は万全である。たぶん今日だけでなく、毎日ランニングで通うつもりなのだろう。

遙は胸の中で舌打ちをして、凛から目をそらした。そして追い越す時に、ペダルを少しだけ強く踏み込んだ。

真琴の声が後ろから聞こえてくる。

「家まで何キロ？」

「三キロとちょ……　」

凛の声は、風に紛《まぎ》れて消えた。

風は、次の朝もポプラ並木に吹き付けていた。空は晴れているのにどこから吹いているのだろうと思い、遙は雲を見上げた。見上げてから、別に雲から吹いてるわけではないのだと思い直し、ジャンパーの中に首をうずめる。

朝は、いつも一人で登校していた。真琴は、幼稚園に通う弟たちをバス乗り場まで送らなければならないので、いつもぎりぎりになってしまうのだ。そして、あわただしく学校へ向かうのである。そんなのに付き合ってられない。

また、風が吹き付け、顔をしかめる。何人もの子供たちが列を作って歩いているのに、風に震えるポプラ並木の音だけが奇妙《きみょう》な声で鳴っていた。

遥は、学校に続く、このだだっ広い一本道が好きではなかった。特に冬は、みんなでぞろぞろ連《つら》なって歩くのが嫌だった。そして、その中に自分もいるのだと思うと、時々耐えられなくなる。昔見た光景を思い出してしまうのだ。もう何年も前のことなのに、まだ鮮明に覚えている。あの時も、凍《こご》えるような風が吹いていた。


白い着物を着た人たちの、杖《つえ》をカツカツと突く音だけが港に響《ひび》いていた。五十人はいただろうか。みんなうつむいたまま、黙ってゆっくりと歩き続けていた。年寄りもいれば、自分と同じような子供も混じっていた。遥の目は、知らず知らずのうちに、その子供を追い掛けていた。他の大人たちと同じように白い着物を着て、うつむきながら、小さな女の子の手をひいていた。

泣いているのだろうか。そう思いながら軽くこぶしを握りしめた時、その子供が顔を上げて振り向いた。遥と目が合い、涙に濡れた瞳を左腕で拭《ぬぐ》った。そして、にらむような目で遥をじっと見ていた。

「ハルちゃん。あの人たち、どこにいくの？」

幼い真琴が、遥の陰《かげ》に隠れるようにして訊いてきた。

「しらない」

「じゃあ、なにをしてるの？」

知るわけがない。答える代わりに真琴を見た。真琴は、不安そうに八の字眉毛を寄せて、遙の服を端の方だけギュッと握っていた。列のどこからか鳴咽《おえつ》のような声が漏《も》れてきて、真琴の握る力が強くなる。

「こわいのか、まこと」

「わかんない。ハルちゃんは？」

怖くはなかった。ただ、得体《えたい》の知れない不気味《ぶきみ》さが、胸の中でざわざわと、うごめいているだけだった。この列が何なのかは知らない。しかし、真琴を怯《おび》えさせている何かであることには違いなかった。

遙は、服の裾《すそ》を握る真琴の手を引いて、その列から遠くへ、できるだけ急いで遠くへと走り去った。


「おはよ、七瀬君」

ふいに声を掛けられ、おどろいたように振り向いてしまった。完全に意表《いひょう》を突かれたのだ。それが亜紀であるとわかり、自分の反応がどう映ったのかと少しだけ気になった。しかし、そう思うのも一瞬だけのことで、すぐにまた元の自分を取り戻していく。

「おう」

ぶっきら棒な返事だった。いつものことだけど、今の返事は特に不機嫌《ふきげん》そうな声だと自分でも思った。そもそも、ここでは明るいあいさつなど似つかわしくないのだ。そういう道なのである。しかし亜紀は、そんなことにまったく構わず、いつもと変わらぬ笑顔を向けていた。

「昨日はごめんね。心配かけちゃって」

橋の上でのことだろうか。それしか思い当たらない。別に心配なんかした覚えもないけど。ただ、亜紀らしくない沈んだ表情が、記憶の片隅《かたすみ》に小さく張り付いているだけだった。

「マフラー、どうした」

どうもこうも、広い川の真ん中に落としたのだから、どうしようもなかったはずだ。言ってから、言わなければよかったと思った。

亜紀の表情に昨日のような暗い陰は、もうなかった。夏の青空のようにカラッと笑う。

「七瀬君が行ってから、すぐに沈んじゃった。それであきらめがついたの。もし、ずっと流れてたら、ずっと見てたかも」

そう言って、またカラッと笑う。この冬空《ふゆぞら》にも、この道にも不似合《ふにあ》いな笑顔である。

「どうしたの、七瀬君。顔、赤いよ」

ふいに亜紀が、遙の顔を覗《のぞ》き込んで来る。まともに目が合ってしまい、遙はわずかに遠くを見るだけで、その視線を外した。

「別に、普通だよ」

「熱、あるんじゃない？」

亜紀の手がほほに伸びて来るのを、遙は反射的に払いのけた。そのせいで二人は向かい合う形になり、一瞬、時が止まった。亜紀は払いのけられた手をもう片方の手で押さえながら、おどろいたように遙を見ていた。

「あ……わるい」

あやまったのは遙。触られるのが嫌なら、首を動かしてよけるなり、軽く手でかばうなりすればよかったのだ。何も、払いのけることはなかった。

「ううん、私こそ……ごめん」

会話はそこで途切れてしまい、二人はまた学校へと続く道を歩き出した。黙ったまま、うつむき加減で、時折《ときおり》吹く強い風に顔をしかめながら……。

それは、このポプラ並木を歩くのに十分相応《じゅうぶんふさわ》しい姿だった。

ホームルームのテーマは、《卒業記念制作》についてだった。各クラスでアイデアを出し合って持ち寄り、さらにその中から一つに絞《しぼ》り込んでいくのである。そして、それを卒業生全体で制作にあたることになっていて、遙たちのクラスでも様々な意見が出されていた。

すぐにでもできそうなもの、とても実現できそうにないもの、笑えるものから、趣味《しゅみ》に走ったもの。そろそろ意見も出つくしたかという頃になって、亜紀の手が挙《あ》がった。

「あの、私、前から思ってたんですけど、この学校に咲く花って桜だけなんですよね。あの桜、春になるといっぱい花をつけるんだけど、なんだかさびしそうで……」

校舎とプールの間に立つ、大きな桜の木である。この辺りでは、あれほど立派な木は他に見当たらない。何者をも寄せ付けない圧倒的な存在感で、木も、草も、花も、威圧《いあつ》されたように遠ざかっていた。

「それで、あの桜の周りに、花壇《かだん》を作ってあげたらどうかなって思うんです。春になって、桜と一緒に色とりどりの花たちが仲良く咲いていたら、きっとすてきだと思います」

遙は、微かな抵抗《ていこう》を感じた。桜は誰よりも高く、大きく、りりしく、悠然《ゆうぜん》としていなければならないのである。ちゃらちゃらした花に囲まれている姿など、想像もしたくなかった。

「ぼくも花壇作りに賛成です」

そう言って、亜紀の意見をあと押ししたのは、真琴だった。

「ちょうど、ぼくたちが卒業する頃に咲くような花、植えたらいいと思います」

多数決は、必ずしも公平とは言えない。思いの強さに関係なく、一人一票ずつ平等に権利を与えられるのだ。それなら、その思いの強さを亜紀や真琴のように訴えて、理解を求めればいいのだが、遙にはそれができなかった。自分の気持ちを誰かに押し付けるなど、遙の最も苦手とするところだった。

いつもそうなのだが、亜紀の意見は大体支持される。そして、今回も圧倒的多数で花壇に決まった。

「ハル、大丈夫？」

ホームルームのあと、真琴が心配そうな顔で話し掛けて来た。

「なにが？」

「顔、赤いよ。熱あるんじゃない？」

今朝も亜紀に同じことを言われた。手のひらを首筋に当ててみる。わずかに熱を感じた。

「別に、大丈夫だけど」

他人に心配されるようなことじゃない。真琴の病人を気遣《きづか》うような視線がうとましく思えた頃、調子の外れた声を出しながら凛がやって来た。

「まさかねぇ。橘が花を愛《いつく》しむようなロマンチストだったとはねぇ」

腕組みをしながら、勝手に納得して真琴を冷やかす。

「それより、松岡君のアイデアにはビックリしたよ。人工衛星《じんこうえいせい》を打ち上げるなんてさ。そっちの方が、よっぽどロマンチストじゃないの？」

「打ち上げるんじゃなくて、人工衛星にメッセージを乗せてもらうんだよ。おれたちの夢や友達のことをさ」

「うーん、やっぱり松岡君はロマンチストだよ」

「ま、そうかもしれないけどね。だけどさ、七瀬がおれの意見に賛成してくれたのには、おどろいたよ。ていうか、ちょっとうれしかったりして」

凛の声も真琴の声も、耳障りだった。うるさいと怒鳴るのも、億劫《おっくう》で面倒くさい。

――なんだか、やばいかも。

そう思った時、凛が遙の様子に気付いた。気付かなくてもいいのに。

「あれ？　七瀬、具合でも悪いのか？」

遙に訊いたのではない。真琴に尋ねていた。

「それがさ、熱があるんじゃないかって思うんだけど――」

そう言って、真琴が遙の顔を覗き込もうとする。

「熱なんか無いって言ってんだろ！」

何かを制御《せいぎょ》するのが面倒だった。遙の荒げた声に、周りの何人かが振り向く。気まずい沈黙《ちんもく》が流れた。

「……わるい」

今朝、亜紀にも言った言葉である。遙は席を立ち、教室のドアに向かって歩き出した。その場の全てから、ほんのひと時だけでも解放されたかった。真琴の心配そうな視線を背中に感じながら、遙は教室から出て行った。

石段の下に置いてある自転車に乗ろうとして、ふと遙の足が止まる。スイミングクラブへ行くために、毎日乗っている自転車である。

——あいつは、今日も走って来るのだろうか。

凛のことが頭の隅をよぎる。ここから岩鳶SCまでは約二キロ。凛の走る距離よりも、ずっと短い。

遙は、陸上トレーニングというものを、ほとんどしたことが無かった。体を鍛《きた》えるということに、あまり興味がなかったのだ。泳ぐこと、即《すなわ》ち水を感じること。それが遙にとっての水泳だった。誰かに勝つために泳いだことなど、一度だって無い。だから、タイムを気にしたことも無かったし、体を鍛える必要も感じていなかった。

ただ、自分よりも速く泳げる奴がいて、そいつが自分より水を感じているというのなら、胸の中に小さなわだかまりが残るのも事実だ。凛が水をどう感じているのかは知らない。しかし50mでは自分よりも速く泳ぎ、100mでは70m付近まで自分の前にいた奴である。そいつが今日も走っている——。それだけで、遙の走る理由は十分だった。

熱はある。真琴や亜紀に言われるまでもなく、わかっていたことだ。しかし、今までだって少しぐらいのカゼや熱なら、泳いで治してきた。理屈《りくつ》なんかわからない。水の中にいると、癒《いや》されていくのだ。カゼぐらいなら、泳ぎ終わったあとには、いつも嘘のように治っていた。

だから今日も休む気なんて、最初からなかった。ただ、行けば凛と会うことになる。凛の走る姿を見ることになる。凛を自転車で追い越しながら、目を背けることになる。そして、走らなかった自分に苛立ちを覚えることになる。

真琴の家に続く階段を一度だけ見上げた。真琴は、まだ来ない。遙は自転車を置いたまま、軽い足取りで二キロの道程を走り始めた。

睦月橋は、今日も風が吹いていた。その風にほほを叩かれ、思わず明神山《みょうじんやま》を見上げる。別に山から風が吹いているわけではないのだと思い直し、また前を向いて走り続けた。

白い息がはずむ。汗が流れる。長い距離を走るのは久し振りだった。しかし、それほどスピードを上げているわけでもないのに、汗が噴《ふ》き出て止まらない。急な坂道や階段があったわけでもないのに、鼓動《こどう》が体中を駆け巡る。熱のせいだろうか、乱れる呼吸も次第に制御できなくなってきた。しかし、それでも遙は、横風に顔をしかめながら走り続けた。

真琴は、まだ追い着いて来ない。また金魚の世話でも、しているのだろうか。どうでもいいことだけど……。

目の前が時々変な揺れ方をして、橋を渡り終える頃には、とてもスイミングクラブまで走れそうにないと自覚することができた。そしてその限界は、川沿《かわぞ》いの土手を走っている時にやってきた。足を止め、ひざに手を当て、大きく肩で息をする。うつ向く遙の顔から汗が流れ落ち、地面に小さなシミをいくつも作った。できることなら、大の字になって寝転びたかった。あの日の凛のように。

——くそっ。何へばってんだよ、おれは！

気持ちを奮《ふる》い立たせようとしても、胸が苦しくて足が前に進まない。こんなところを真琴や凛に見られたらと思うと、耐えられない気持ちになる。誰かに心配されたり、気遣われたりするぐらいなら、消えてなくなりたいとさえ思う。自分がそういう存在であることを強く否定したかった。早く呼吸を整えねばと妙に焦《あせ》る。

しばらくして、少し呼吸が落ち着いてきた頃、ふと、川面で何か白い物が見え隠れしているのに気が付いた。土手下の川岸から手の届きそうなところに、亜紀のマフラーが引っ掛かっていたのだ。とっくに沈んで海に流されてしまったと思っていたのだが、満潮《まんちょう》の加減で押し戻されて来たらしい。取ろうと思えば、取れるところに漂っていた。取ろうと思えば……。

ブレーキの音がして、反射的に振り向く。亜紀が心配そうな顔で、自転車から降りて来た。

「どうしたの、七瀬君」

背筋を伸ばし、荒い呼吸をむりやり封じ込める。別に、と言ってまた走り出すつもりが、声にならない。声にすれば、抑えていた呼吸が一気にあふれ出てきそうだった。

「あっ」

亜紀の視線が、遙を透かして川面に向けられる。川面に漂《ただよ》う、白いマフラーに……。遙は心の中で舌打ちをしてから、息を一度大きく吸い込んでみた。もうかなり落ち着いてきている。言葉を出しても大丈夫だと思った。

「取って来てやるよ」

「いいよ、あぶないから」

こんな所でへばってたわけじゃない。亜紀のマフラーが見えたから、ちょっと立ち止まっていただけなのだ。自分に言い訳をして、亜紀に背を向ける。

土手の斜面に一歩踏み出そうとした時、突然、めまいに襲われた。しまったと思った瞬間、目の前が暗くなり、平衡感覚《へいこうかんかく》を失っていた。雑草の生えた土の感触が、足の裏に伝わってくるはずだった。しかし、その足は空《くう》を切り、体は土手を転がり落ちた。上と下の区別がつかない。自分の体なのに、何がどうなっているのか、まるでわからなかった。ただ、亜紀の叫び声だけが、風に震えるポプラ並木のように聞こえているだけだった。

水の冷たさが下半身に伝わり、それで川に落ちたのだということがわかった。徐々《じょじょ》に視覚が戻ってくる。体が半分、水の中にあった。右手は川岸の枯れ草を握っている。左手には……茶色くなった白いマフラーが絡んでいた。

——最悪……。何やってんだ、おれは。

はっきり覚えているのは、そこまでだった。川の水は、遙の体も心も癒すことなく、体温だけを奪い去り、思考が停止した。

夢と現実の間で、自分の名前を呼ぶ真琴の声と救急車のサイレンが、微かに聞こえていたような気がする。

「ハル、ハル！」

そして、遙は深い眠りに落ちた。


ひどく頭が痛んだせいで、目が覚めた。そこがどこかを考えるより前に、真琴の声が耳に届いた。

「ハル、気が付いたの？　ハル」

耳障《みみざわ》りだとは思わない。気遣われることに抵抗を感じなかった。真琴の声がいつもと変わりなく、自然に流れ込んでくる。

目の焦点《しょうてん》を合わせようとするが、うまくいかない。まだ頭が痛む。体が重い。それでも目が覚めているから心配するなと伝えたくて、言葉を発してみる。

「どこだ？　ここ」

「病院だよ」

「病院？」

蛍光灯《けいこうとう》がまぶしいと思った。なぜ、病院なんかで寝ているのかを考えようとして、また頭が痛んだ。

「ハル、大丈夫？　おばさんも、もうすぐ来るからね。さっき連絡があった」

ようやく真琴の顔が、はっきり見えるようになってきた。すると、その後ろに、もう一人いることにも気が付いた。いつもは見せないまじめな顔で、凛が黙ったまま立っていた。その横で、ハンガーに掛けられた白いものが、空調機《くうちょうき》から流れる風に揺れている。

カーテンだろうか？　いや、もっと細い、布のようなもの……。

――マフラー！

そう気付いた瞬間、記憶が戻ってきた。急に起き上がろうとして、体中がきしむ。

「だめだよ、無理しちゃ。四十度も熱があったんだから」

遙は知りたかった。川に落ちてから、どういう経緯《けいい》でここにいるのか。今すぐに、知りたかった。

「矢崎は？」

亜紀はあの場所にいて、一部始終《いちぶしじゅう》を見ていたはずだ。その亜紀の姿がない。

「ザキちゃんなら、家に帰ってるはずだよ。だけど、心配してると思うよ、今頃きっと」

「おれ、どうなってたんだ？」

「ちょうど、ぼくと松岡君が橋を渡ったところで、ザキちゃんの叫び声が聞こえてきてさ。それで行ってみたら、ハルが川に落ちてたんだよ」

それから二人で遙を土手に引っ張り上げ、その間に亜紀が救急車を呼んだ。救急車には真琴と凛が乗り込み、亜紀はスイミングクラブや家に連絡することになった。泣き出しそうになりながらも、亜紀は与えられた役割を気丈《きじょう》にこなしていたという。

「だからさ、あとでザキちゃんにも、ちゃんと言っといた方がいいよ」

ベットの中で、一度だけうなずく。訊きたいことは、一通《ひとどお》り真琴が説明してくれた。聞いている間も頭痛はしたけど、できるだけさりげなく装ったつもりだった。

「あとね、ハルはインフルエンザだってさ」

そんなくだらないもののために、こんなことになったのかと思うと、無性《むしょう》に腹が立った。

「じゃあぼく、先生呼んで来るね」

真琴がドアを開けて出て行くと、病室の中は急に静かになった。空調の音と遙の荒い息遣《いきづか》いだけが聞こえていた。それで初めて、自分の呼吸が乱れていることに気が付いた。

凛を見た。視線を斜め下に落としたまま、ずっと黙っている。その横で、マフラーが揺れていた。

「松岡、ありがとな」

自分でもおどろくぐらい、素直《すなお》に言葉が出てきた。凛は小さくうなずいただけで、遙の方を見ようとしなかった。それから真琴が戻って来るまで、病室には空調の音と遙の息遣いだけが小さく響いていた。

外の冷たい風にさらされると、病室の中がどれだけ暖《あたた》かかったのかを思い知らされる。凛は歩きながら、かじかむ手をジャンパーのポケットに入れた。足が妙に重かった。うまく呼吸ができない。前を行く真琴に、着いて行くのがやっとだった。その真琴を呼んでみる。

「……橘」

ずい分、久しぶりに声を出したような気がする。少なくとも、病院に来てからは、初めてだった。

「なに？　松岡君」

「おれ……」

「うん」

凛が、言い淀《よど》んだ。真琴は催促《さいそく》もせずに、じっと次の言葉を待っていた。その間も足を止めずに歩き続ける。ゆっくりと、凛が追い着くのを待っているかのように。

「おれ、本気で怖かった」

凛の偽《いつわ》らない気持ちだった。怖いと思う気持ちは、今でも続いている。そのせいで体中のあらゆる臓器《ぞうき》が、まだアンバランスな動きを止めないでいた。何も意識をしなくとも、肺は呼吸をし、心臓は脈を打つものだと思っていた。それが今は、深く呼吸をしなければ、全ての機能が停止してしまいそうなのである。

「どうしていいのか、わかんないぐらい怖かった」

真琴が振り向いて、笑顔を見せた。ひょいと八の字眉毛を上げながら、そのまま後ろ向きに歩き続ける。

「大丈夫だよ。ただのインフルエンザだってさ。肺炎《はいえん》にもなってないし、すぐによくなるよ」

遙のことは、大変なことだと思っている。川に落ちているのを見て、焦ったのも事実だ。あたふたと、うろたえもした。しかし、凛が怖いと思ったのは、そのことではない。

「ちがうよ、七瀬のことじゃない。橘、おまえのことだよ」

「え？」

真琴の足が止まる。凛のまっすぐな視線を受けながら、それでもまだ笑顔のままでいた。まるで、何かの冗談でも聞いているかのように。

「七瀬を川から引っ張り上げた時、おまえ震えてただろ」

「そうだっけ？　なんだか夢中だったから、よく覚えてないよ」

真琴は、また前に向き直って歩き始める。その真琴の背中を見ながら、確かにあの時震えていたのだと、凛は思い起こしていた。

的確《てきかく》な指示を凛と亜紀に出してはいたが、見間違《みまちが》いようもないほど真琴は震《ふる》えていた。手も足も顔も。寒さのためではなく、何かを恐れているような震え方だった。そして、救急車に乗り込んでからも、遙の服を裾の方だけ握って、ずっと遙の名前を呼びながら震えていた。

人がそこまで何かにおびえる姿を、凛は見たことがなかった。そのことが胸の奥にへばり付いてしまい、体が思うように機能してくれないのである。

凛は、それっきり何も言わずに真琴の後ろを歩き続けた。真琴が覚えていないというのなら、それで構わない。言いたくないことを無理やり訊き出すようなことは、したくなかった。だからもう、それ以上詮索するつもりもなかったし、訊いてどうなるものでもないと思った。

バス停で待っている間も乗ってからも、二人はずっと無言のまま視線を合わせなかった。

凛が、降車《こうしゃ》ベルを押して立ち上がる。真琴より、ふたつ手前のバス停で降りるためだ。

「じゃ」

「うん」

その一瞬だけ真琴の顔を見た。いつもの真琴だった。八の字眉毛を上げて、いつもの笑顔を見せていた。気にしすぎていたのかもしれない。バスを降りると、急に体中の力が抜けた。凛は、夕暮《ゆうぐ》れの空気を大きく吸い込み、茜色《あかねいろ》の空へと走り去るバスを見送った。


凛がバスを降りるなり、真琴の手が震え始めた。張詰《はりつ》めていた何かが突然切れてしまい、自分の意思では、もう、どうすることもできないほど手が震えた。それはやがて体に伝わり、足が、胸が、顔が震え、歯が鳴り出す。自分の両手で体を抱きしめる。どんなに力を込めても、震えが止まらない。どんなに歯をくいしばっても、唇が震える。音も無く涙があふれ出てくるのを、真琴はどうしようもなかった。

遙がスイミングクラブに出て来たのは、それから四日後のことだった。真琴が更衣室で着替えていると、息を切らせながら、いつもと変わらぬ表情で入って来た。

「ハル……」

「よう」

「ようじゃないよ。どうしたの？　もう大丈夫なの？」

「もういい」

口の中で小さく言いながら、真琴の心配顔をうとましそうに見る。

「よくないよ。そんなに息が荒いし、まだ熱があるんじゃないの？」

じゃまくさそうに手を振りながら、遙はロッカーのドアを開けた。真琴が苛立ったように少し声を荒げる。

「ハル」

「走って来たんだよ」

「どこから？」

「家からに決まってるだろ」

そう言いながら、バッグをロッカーに放り込んだ。

「ねぇ、ハル。今日、学校にも来てなかったじゃない」

「昼から良くなったんだよ」

服を脱ぎながら、面倒くさそうに答える。真琴の心配顔など、見たくもないと言わんばかりに、遙は黙々《もくもく》と着替え続けた。

「ハル、また熱が出たらどうするの？」

「真琴！」

遙の強い口調とロッカーを閉める音が重なり、真琴の言葉を押しのけた。

「……な、なに？」

遙が歩き出し、左手を真琴の肩に置いて、そのまますれ違って行く。

「ありがとな」

そう言い残して、更衣室を出て行った。

真琴の体から、一気に力が抜けてしまった。思いもよらない言葉にほほが緩《ゆる》み、知らず知らずのうちに八の字眉毛を上げていた。そして、遙のことを心配していた気持ちも、どこかに掻《か》き消えてしまった。

いつものようにクロールで１０００ｍを泳いでみる。走っていた時にあれほど荒かった呼吸が、水の中では、まったく乱れなかった。それどころか、体が癒されていくのを感じる。遙にとって、いつもと変わらない水だった。

昼から良くなったというのは嘘《うそ》である。正しくは、今から良くなるのだ。学校は体も心も癒してくれない。だから休んだ。遙は水の中で体力が回復していくのを感じながら、徐々にスピードを上げていった。

滑《なめ》らかなフォームで泳ぎ切り、水面から顔を上げると、遙の前に一本の手が差し延べられてきた。真琴よりも細くてきゃしゃな手だ。つかまれば折れてしまうのではないかと思い、一瞬、ためらう。ゴーグルを外して、目を細めながら見上げた。

「おかえり。早く元気になってよかった」

ひまわりが咲いたような笑顔で、亜紀が見下ろしていた。あの時、ポプラ並木で払いのけた手である。遙は、差し出されたその手につかまり、プールサイドに上がった。

「サンキュ」

「うん」

耳に入った水を出すために、一度だけ頭を右に振りながら、遙は小さく言った。

「マフラー」

短い名詞だけが、遙の口からもれる。ひまわりの笑顔が少し曇った。

「うん」

「あんなになっちまったから、もういらないかと思ったけど」

川の中で薄茶《うすちゃ》けたマフラーは、洗ってもその白さを取り戻すことはできなかったけど、真琴に預けて、亜紀に返すよう頼んであった。

「うん、橘君にもらった」

亜紀がうつむく。自分のせいで、遙が川に落ちたとでも思っているのだろうか。

「もう落とすなよ」

「ごめんね」

――あやまんなよ。あやまるのは、こっちの方なのに。

「いろいろ、わるかったな」

遙のひと言で、亜紀の表情が晴れていく。また、ひまわりのような笑顔が戻ってきた。

「ううん」

亜紀は、首を小さく横に振った。

たったそれだけのやり取りだけで、亜紀にどれほど心配を掛けていたのかがよくわかった。

その亜紀を遠くから誰かが呼ぶ。

「ザキー、リレーの練習始めるよ！」

「はーい！」

そっちに返事をしてから、遙に手のひらを見せる。

「じゃ」

「ああ」

亜紀は、笑顔を残して走り去った。

その亜紀とすれ違うようにして、凛が歩み寄って来る。

「七瀬、おれたちもリレーの練習だ」

——リレー？　なんでそんな練習しなきゃなんないんだ。

そう思っていると、凛のあとを追い掛けるようにして、真琴が走って来た。

「だめだよ。今日はもう無理しちゃだめだってば、ハル」

心配とかを通り越して、まるで保護者《ほごしゃ》気取りだ。そんなふうに構われるぐらいなら、リレーでもなんでも、水の中にいた方がましだと思った。

「なんのリレーだ。おれ、フリーしか泳がないけど」

真琴を見ないようにしながら、凛に訊く。

「フリーだよ」

「ハル」

心配顔の真琴をうとましく思いながら、その前を通り過ぎて行く。

「ハル！」

遙の背中に、もう一度投げられた真琴の声は、どこかで鳴るホイッスルの音に紛《まぎ》れて消えてしまった。

リレーの練習は、飛び込みに重点《じゅうてん》が置かれた。25mの短水路を利用して、プールの両サイドにそれぞれ並び、泳いだらまた列の後ろに並んでいくという練習を時間が来るまで繰り返していくのである。

リレーの場合、最も差が出るのは、スタートとタッチの時だと言える。もともと泳ぐという行為は、推進力《すいしんりょく》を得ると同時に、それ自体が水の抵抗を作り出してしまう行為《こうい》でもあるのだ。つまり、スタートのキック力をどうやって最大限に活かしていくか、そこに大きなポイントがあると言っても過言《かごん》ではなかった。そのためには、着水《ちゃくすい》の角度と水中姿勢を十分意識しなければならないので、こういった練習が必要になってくる。

フリーのリレーには、この飛び込みが四回ある。自由形《じゆうがた》は、何を泳いでもいいことになっているが、たいていの場合クロールを選択するので、〝フリースタイル〟と〝クロール〟は、ほぼ同義語《どうぎご》として扱われていた。だから、この練習もクロールで行われていた。

遙は、軽い調子でプールに飛び込み、水の中に切れ目を作り出した。そこに体を滑り込ませながら、軽いストロークで泳ぎ切り、壁面にタッチする。頭上《ずじょう》を凛が飛んで行く。身長は遙と変わらないが、その足には遙や真琴を上回る力が備《そな》わっている。短水路でやたら速いのも、このキック力が大きな武器となっているからだ。

遙はプールサイドに上がりながら、そのことを考えていた。同じ100mを泳いでも、短水路のターンは三回、長水路だと一回である。だから凛の場合、圧倒的に短水路が有利になってくる。大会の時、70m付近まで遙の前を泳いでいたのも、それが理由である。そしてそれは、遙の走る理由でもあった。

自分より速く泳ぐ者がいても否定はしない。しかし、簡単に認めるわけにもいかない。勝ちたいわけでも、負けるのが嫌なわけでもない。自分よりも水を感じ取れる誰かがいるということを、たやすく受け入れられないだけなのである。

走れば遠くに跳べるのかと訊かれれば、わからないというのが正直な答えだ。ただ、自分より遠くに跳ぶ誰かがいて、そいつが走っているというのなら、それだけで走る理由は十分だった。

遙はそんなことを考えながら、凛の泳ぎを見ていた。その先に真琴が立っている。キャップをかぶりゴーグルを装着していると、とても小学生には見えない。広い肩幅《かたはば》と厚い胸板《むないた》。それほど筋肉がついているわけでもないが、スタート台に立つと、かなりの威圧感があった。

凛が壁面にタッチすると、真琴が大きな飛沫を上げて飛び込んだ。力まかせのストロークで強引に突き進んで行く。タイムを計っているわけでもないのに、全力で泳いでいる。いつもの真琴だった。いつもと変わらぬ真琴が、いつもと同じ水の中にいた。

その真琴が、ゴールまであと数メートルというところで、突然泳ぐのをやめてしまった。水でも飲んだのかと思ったが、どうも違うらしい。足が吊ったわけでもなさそうだ。ただ苦しそうに肩で息をしながら、水の中で立っていた。

今、上がってきたばかりの凛がまた飛び込み、真琴の所まで泳いだ。

「どうした？　橘」

真琴はゴーグルを上げて、八の字眉毛の笑顔を見せた。

「ごめん、大丈夫だよ。ちょっと体調、悪いみたい」

その笑顔が今にも泣き顔になりそうな気がして、遙は真琴から目を背けた。そしてそのまま、シャワールームへと歩き出した。


各学級から出された卒業制作の候補《こうほ》を持ち寄った結果、最終的に亜紀の案が採用されることになった。桜の周りに花壇を作ることが、正式に決まったのである。一旦《いったん》決まると、どんどん準備が進み、瞬《また》く間に制作の段取りが組まれていった。そして何日もたたないうちに、大量の粘土《ねんど》が教室に運び込まれて、放課後の教室は、ちょっとしたレンガ工房《こうぼう》のようになってしまった。机を全部後ろの方に寄せて作った広いスペースに、大きなブルーシートを敷《し》き、そこに粘土が山のように積み上げられていた。まだ赤い色ではなかったが、それを焼くと中の鉄分が酸化《さんか》して赤くなるそうだ。

作業は、粘土を練《ね》るところから始まった。一人ずつ切り分けられた粘土を思い思いの場所に持って行き、中の空気を押し出すように体重を掛けながら丹念《たんねん》にこね上げていく。この過程をしっかりやっておかなければ、焼いたときに割れてしまうのである。

遙は、これが桜の周りに置かれるということをあまり考えないようにしながら、ただの作業として集中するようにしていた。

「でさ、七瀬」

粘土をこねながら、凛が話し掛けて来た。返事をせずに目線だけを上げる。

「今度の大会のことなんだけど、メド継《けい》、やんない？」

次の大会は卒業式の終わったあと、三月の終わり頃に開催《かいさい》される。毎年、市内のクラブが一堂に集まって、かなり盛大に行われるのだ。凛と出会ったのも、その大会だった。

遙も真琴も六年生になってからは、ほとんどの大会に出場していた。競技はすべて年代別、男女別に行われ、一人が出場するのは、大体三種目から四種目程度であるが、遙はいつもフリースタイルにしかエントリーしていなかった。そして、そのフリーでは三度優勝している。真琴はフリーにも平泳ぎにも出場したことがあり、平泳ぎでは二度の優勝経験を持っていた。

「フリーしか、やらないから」

遙が粘土に目を落としながら言う。

「こだわるねぇ、七瀬は。いいよ、フリー専門で。な、橘」

急に話を振られて、真琴の手が止まる。

「メド継だと、バッタどうすんの。別に、フリーのリレーでもいいんじゃないの？」

メドレーリレーを泳ぐとなれば、背泳ぎ、平泳ぎ、バタフライ、フリーの四種目の選手が必要になってくる。しかし、岩鳶ＳＣには、同じ年代にバタフライの速い選手がいなかった。

その真琴の言葉に、ややあきれた調子で凛が言う。

「メドレーでいいよ。バッタは、おれが泳ぐから。ブレは橘でいいとして、あとはバックだな。目立つ奴はいないけど、ま、普通に泳いでくれりゃ、あとはおれたちで何とかなるだろ。バック、適当に見つくろっといてよ」

真琴は凛の強引さに押されたのか、何も言い返さず、また粘土をこねる作業に戻った。

その真琴に代わって、遙が手を止める。

「フリーしか泳がないって言ってんのに、勝手にリレーの話、進めんなよ」

静かな口調の中に、強い意思を込めて言ってみた。凛が、ため息を粘土の中に吹き込む。聞き分けのない子供には手を焼かされるよ、という感じで。しかし、声の調子が遙の強い意思に呼応した。

「だからさ、七瀬はフリーでいいって言ってんだろ！」

語尾が強すぎる。言ってから口を押えても、もう遅い。ブルーシートの上で散らばるクラスメイトたちの視線をすっかり集めてしまっていた。真琴も手を止めて凛を見ている。

凛は何を思ったのか、急に立ち上がった。どうせ注目を浴びてしまったのだからと、開き直ったのだろうか。

「だ、だからさ、レンガにメッセージを書こうよ。好きな言葉とかさ。何か思い出に残るようなこと、自由に書こうよ。フリーに、ね」

今更、ナイーブな卒業生を演じたところで、と思っていると、亜紀が立ち上がった。

「それ、いいんじゃない」

亜紀のひと言が、クラスの雰囲気を変えた。みんな口々に、どんなメッセージを書くのかで盛り上がり、教室はまたにぎやかになった。

凛が肩の力を抜いて、小さく息をつく。遥と真琴は、何事も無かったように粘土をこね続けていた。凛も座り、無言で粘土をこねる作業に戻った。

結局、その日は、リレーの話をぶり返してくることもなく、それっきりになってしまった。

明神山の上に、細い雲が幾筋《いくすじ》も流れていた。睦月橋の上には、今日も風が吹いているのだろうか。遥はそんなことを思いながら、腕時計に目をやった。最初の頃と比べると、いくらかは速くなっている。別に目標があるわけではないし、誰かと競っているわけでもない。それなのに、なぜかタイムを気にしていた。あえて言うなら、昨日の自分だろうか。自分の限界を超えて、その向こう側にある新しい世界へ足を踏み入れる——、そういうことなのかもしれない。

水とは違って、陸には癒されるものなど何もないと思っていた。そう思っていたのに、走っていると、時々自分の中の何かが解き放たれていくのを感じることがあった。ただ、陸では速く走ろうとしている。そんなことにこだわっているうちは、まだ泳ぐことと大きな隔《へだ》たりがあるようにも思える。しかし、こうして走っているうちに、やがてそれらは同じ意味を持つようになってくるのかもしれない。

そんなことを漠然《ばくぜん》と考えながら睦月橋に差し掛かった時、遙の足音にもう一つの足音が重なってきた。

「こんにちは、七瀬君」

声を掛けられて振り向くと、葉月渚が並び掛けて来るところだった。

「よう」

軽く口の中で言う。渚との共通点は、同じスイミングクラブに通っていることと、女の子のような名前であること。学年は、一つ下の五年生だ。

なぜ、渚が走っているのかは考えない。それは、なぜ渚がうれしそうな顔をしながら走っているのかを考えることになってしまうから。

「七瀬君、最近、毎日走ってるよね」

甘ったるい声が、遙の耳にまとわりつく。

「ちょっとな」

そっけない返事をして、話を打ち切ろうと思った。渚を避《さ》けているわけではない。ただ、走っている時に他のことを考えたくなかったのだ。走ること以外に、心のいくらかでも捉《とら》われてしまうのが嫌だった。解《と》き放たれるはずの何かが、また、かたくなに扉を閉ざしてしまうような気がするのである。

「ぼくも……」

息が切れているせいで、渚の声も途切れる。

「ぼくも、今日から走ろうと思ってるんだけど、一緒に走ってもいい？」

拒《こば》む理由は、無かった。

「別にいいけど」

「ほんと？　よかった」

「だけど、着いて来れなくても、待たないからな」

「うん」

これ以上、渚の話に付き合うつもりはなかった。橋を渡り終える手前で加速する。渚の吐息《といき》が遠ざかり、また一人の世界に戻っていった。

ふと、風が遙を追い越して行く。それが一瞬だけ渚のような気がして、息を呑《の》んだ。ほんの一瞬だけだったけど。

嫌な予感は、そのとおりに的中《てきちゅう》していた。１０００ｍをバタフライで泳ぎ切り、顔を上げると、あのクリクリとした目が、上から覗き込んでいた。あれから毎日だ。

「なに？」

何の用かは、わかっていたけど、あえて訊いてみた。

「バッタ、ほんとに泳げるんだね」

「あ、そう。で？」

「じょうずだね」

——おまえのグラスホッパーほどじゃないけどね。

「泳ぐんだろ。見てやるよ」

さっさとプールサイドに上がる。無駄な抵抗は、もうあきらめていた。

「あのね、バッタは、ちょっとお休み」

もう、飽きたのか。こんなんじゃ、とても上達は見込めない。

「じゃあ、おれは、もう用無しだな」

「そうじゃなくて、えっと、松岡君は、今度の大会に出るの？」

「うん。一応な」

亜紀がいた。一番端のレーンに立っている。泳いでるのは、遙か？

「なに、泳ぐの？」

「メド継」

遙だ。水鳥《みずとり》が空を飛ぶような優雅さで、滑るように泳いでいる。あんな泳ぎ方ができるのは、遙以外にいなかった。

「七瀬君もいっしょ？」

「まだ決まってないけど、七瀬と橘には声を掛けてる」

亜紀は、遙が泳ぎ終わるまで待っているつもりだろうか。そう思ってると、スッとそのレーンから離れて行った。離れながらも、時々遙を振り返る。

「一、二、三。あと一人は？」

「まだ」

亜紀の姿が人ごみに見えなくなった頃、遙がプールサイドに上がって来た。

「じゃあ、ぼくも入れてよ。ブレ、速いから」

クリクリした目をキラキラさせている。

「だめ」

亜紀によけいなことを頼んでしまったかと思う。あまり負担に感じてなければいいけど。

「なんで？」

「バッタの練習も途中で投げ出すような奴が、速いわけないだろ」

「ちがうよ。投げ出したんじゃなくて、お休みなんだって」

「じゃあ、なんでお休みなんだよ」

「メドレ継で、ブレやるから、その練習をするの」

「はぁ？　おまえの時系列、むちゃくちゃだぜ」

「ねぇ、メンバーに入れてよ」

「だめなものはダメ！」

きりがないので、話を切り上げて歩き出す。背中に渚の〝ケチ〟という言葉を受けながら、足早にその場を離れた。

「レンガ、何て書いたの？」

ひと泳ぎしたあと、遙がベンチに座っていると、隣に亜紀が腰を掛けて来た。

「Free」

そっけなく、必要最低限の答えだけを返す。

「七瀬君らしいね。それって〝自由に生きる〟って意味にも取れるし、〝フリースタイル一筋《ひとすじ》〟って意味にも取れるよね」

そんなに深い意味はない。凛にフリーしか泳がないと言っていたから、ほとんどやけくそぎみで書いただけだ。そう訊かれたからといって、社交辞令《しゃこうじれい》のように、亜紀が何を書いたのかと訊き返すつもりはなかった。それよりも、今わざわざそんな話をするために来たのかと訊きたかった。何か他に、用があるのではないのかと。

遙のそんな気持ちを察したのか、亜紀が小さく息を吸ってから話し始めた。

「あのね、七瀬君……」

亜紀が言い掛けてから、言葉を切る。亜紀らしくないと思う。

「なに」

言葉の先を促してみる。遙に後押しされた形で、少し微笑みを浮かべながら、また亜紀の唇が動き出した。

「私ね、メド継に出ようと思うの。美樹《みき》と麻季《まき》と優希《ゆうき》と四人で。なんかおかしいでしょ。名前だけ見たら、姉妹みたいだよね」

そう言って、亜紀が笑ってみせる。言い掛けた言葉は、呑み込んでしまったのだろうか。どうでもいいかと思いながら、いいかげんな返事をしておく。

「ほんとだな」

たった今泳ぎ終えた真琴が、プールサイドに上ろうとしていた。交替《こうたい》するのにちょうどよかった。レーンは真琴から遙へ、亜紀の話し相手は遙から真琴へ。遙は立ち上がり、スタート台へと歩き出した。

「七瀬君」

亜紀が立ち上がって、遙を呼び止める。足は止めるが、返事はしない。亜紀が思い切ったように、喉《のど》の奥から声をしぼり出した。

「リレー、やった方がいいよ」

体の向きを変えずに、首だけをひねって肩越しに亜紀を見る。

「なんで？」

「だって七瀬君、六年生の中で一番速いじゃない」

「50mなら、松岡の方が速いぜ」

視線を前に戻し、また歩き出す。水を滴《したた》らせている真琴とすれ違い、そのままスタート台から飛び込んだ。亜紀の視線を断ち切り、遙はまた水の中でしがらみから解き放たれてゆく。


「ねえハル。今日も走って来たの？」

更衣室で体を拭《ふ》いていると、真琴が訊いてきた。遙は、後ろで着替えている凛を少し意識しながら、つぶやくように答えた。

「走って来たけど」

凛が何かを言うかと思ったが、聞こえてきたのは渚の声だった。

「ぼくもね、今日から走ることにしたんだよ。七瀬君がね、一緒に走ってもいいって」

「へぇー」

凛が冷やかすような声を出して、まじまじと遙を見る。何か勘違いをしているようなので、一応付け加えておく。

「おれに、着いてこれればの話」

そう言っても、まだ凛はニヤニヤしていた。軽い苛立ちを覚える。その遙の気持ちに真琴が追い討ちを掛けてきた。

「ぼくも一緒に走ろうかな」

冗談っぽく言っていても、それが冗談ではないのだと、遙にはわかっていた。〝走って来たのか〟と訊かれた時に、そう言い出すのではないかと思っていたのだ。だからよけいに、また苛立つ。拒む理由が無いから。

「言っとくけど、待たないからな」

「大丈夫だよ。ぼく、そんなに遅くないから」

「そうじゃなくて、来るのが遅くてもってことだよ」

「ああ、そっちのことか」

真琴の目に、小さな翳《かげ》りがよぎった。しかしそれは、目の錯覚《さっかく》かと思うほどのわずかな間に消えてしまい、また元の真琴に戻る。

「大丈夫だよ。明日から早く行けるようになったから」

じゃあ、今日まで何があったんだ。そう言い掛けた遙に、渚が割って入ってきた。

「帰りも一緒に走っていいよね」

遙はロッカーからバッグを取り出し、ドアを閉めた。

「おまえが早く着替えればな」

そう言いながら、足早に更衣室から出て行く。

「あ、待ってよ」

靴下を片方履《は》きながら、渚はひったくるようにバッグを引っ張り出して、遙のあとを追い掛けて行った。その様子がおかしくて、凛と真琴はしばらく笑っていた。

ひとしきり笑い終えると、静かになった更衣室の温度が急に下がったように思えた。真琴がロッカーからバッグを取り出して、凛に軽く手を振る。

「じゃ、ぼくも帰るよ」

「橘」

踏み出そうとした真琴の足が止まる。振り向くと、凛が妙にまじめぶった顔をしていた。

「なに？」

「メド継のことだけど、どう思う？」

「どうって……ぼくは別に出てもいいけど」

どう思うかと訊かれても困る。他に答えようがない。凛がうれしそうな顔もせず、軽く何度かうなずいている。求めていた答えは別にあるらしい。

「七瀬、メド継泳いでくれないかな」

〝泳いでくれるように、頼んでくれないかな〟。真琴にはそう聞こえた。凛が気にしていたのは、遙のことだったらしい。

「ぼくが言っても、同じだと思うけどな」

「そう言わずにさ」

「うーん、じゃあ言ってみるだけだよ」

「頼むよ」

〝おまえだけが頼りだ〟、みたいな目で見られると、小さなプレーッシャーを感じてしまう。

「じゃ」

「うん」

更衣室を出てから、小走りでロビーまで行ってみた。しかし、遙の姿はどこにも無かった。凛に頼まれたからといって、すぐにしなければならないことでもなかったが、あまり長く抱えていたくもなかった。それだけのことである。遙を説得するつもりもないし、嫌ならそれで構わないと思っていた。メドレーリレーにこだわる理由など、何も無いのである。遙が何を泳ごうと、遙の自由なのだ。

駐輪場でカギを開けると、ガチャリという音が響いた。遙がいつも自転車を止めていた辺りを見てみる。今日は、違う自転車が止まっていた。遙のいない駐輪場が、ひどく無機質なものに感じて冷たかった。

——明日から走って来よう。

更衣室で軽く言ったことを、胸の中でもう一度つぶやいてみる。それから自転車にまたがり、ペダルをこぎ始めた。

睦月橋の手前で渚に追い着いた。遙は、もう橋の中ほどを走っている。

「ファイト！　渚」

声を掛けてやると、白い息をぜいぜい吐きながらこちらを見上げた。そのまま抜いてしまってもよかったけど、遙に置いて行かれ、自分にも見捨てられたのでは、ちょっとかわいそうかとも思い、併走《へいそう》してやることにした。

「がんばれ、渚！」

遙とは、また明日話をすればいいことだ。別に急ぐ必要は何も無い。風に吹かれてよろける渚を励《はげ》ましながら、真琴は睦月橋を渡って行った。

真琴は、家に帰るとすぐに園芸用のスコップを取り出し、庭の隅《すみ》を掘り返し始めた。作業が終わるまで一分と掛からなかった。そのあと、玄関のドアを開けて電気をつけた。

靴箱の上に置かれた金魚鉢《きんぎょばち》。その水面に漂《ただよ》う二尾《にび》の金魚。泳ぐことも、エラを動かすこともなく、ただ水面を静かに漂っていた。皮膚《ひふ》の表面には白い斑点《はんてん》がいくつもあり、一目《ひとめ》で病気なのだとわかるほどだった。

毎日、学校から帰るとすぐに金魚鉢を洗い、薬水《くすりみず》に浸《つ》けて手当をしていたのだが、今日学校から帰ってみると、二尾とも浮いていたのである。

真琴は、そっと金魚鉢に手を入れてみた。生ぬるい感触が指先にまとわりつく。まるで淀《よど》んだ沼のように、生命の鼓動《こどう》をまったく感じなかった。その手で、無機質に漂う金魚をすくい上げる。二尾の金魚は、わずかにひれを振るしぐさを見せることもなく、真琴の手の中で眠っていた。

金魚を庭の隅まで運び、さっき掘った穴に置いた。その上から土を被《かぶ》せると、儀式《ぎしき》はそれで終わってしまった。たったそれだけで終わってしまうような、小さな命だったのかと思うと、胸の奥でささくれとなって痛んだ。

「まだ、泳ぎたかったろ」

園芸用のスコップを持ったまま、真琴は立ち上がった。立ち上がってもまだ、土から視線を外すことができなかった。

「ごめんね」

真琴はスコップを投げ出して玄関へ走り、ポンプの電源を切った。静かで暗く、何の意味も持たない水だけがそこにあった。それがまるで、あの時、遙を呑みこもうとした水のように思えて、また手が小刻《こきざ》みに震え始める。

真琴は家を飛び出し、勢いよく階段を下りて神社に続く石段に出た。遙の家は、すぐそこだ。今、会わなければならない。明日では、だめなんだ。今、会うんだ。そうでなければ、自分が自分のままでいられなくなる。遙に会いたい――。

「真琴」

夕暮れの近づいた石段を登り始めたところで、ふいに呼び止められた。

真琴の鼓動が大きく脈を打ち、足が止まる。

――ハルの声……。

石段を一段ずつ登るように、ゆっくりと視線を上げていく。一の鳥居が夕陽に照らされながら、陰影を濃くして佇んでいた。そして、その鳥居の下に立つ……遙。

――ぼくを待ってた？

胸の中に疑問を投げ掛け、すぐに否定した。そんなはずは無いのだ。わかっているのに、それでも、そう思おうとする自分がいた。足が勝手に動き出す。遙のもとへと……。

遙を見つめたまま石段を登ってゆく。視線を動かせない。遙から目が離せない。真琴は引き寄せられるようにして、一の鳥居まで登った。手を伸ばせば触れることができるほど、遙の近くまで。

「ハル……。ずっとここにいたの？」

「ああ」

無表情のまま、口の中で小さく答える。

「ぼくが来るって、わかってたの？」

そんなはずは無いとわかっていても、訊かずにはいられなかった。

「いや」

「じゃあ、なんで……」

——こんな所で立ってるの？

「夕陽を見てた」

遙の視線が指す方に、真琴も目を向けてみる。楓《かえで》や欅《けやき》の間を縫《ぬ》って、赤い夕陽が薄い雲の中を、水平線に沈もうとしているのが見えた。夕陽は雲にかすむせいで、太陽であった頃の輝きを失い、月ほどの大きさで、その輪郭《りんかく》をあらわにしていた。きれいだとは思うが、見とれてしまうほど珍しいものでもない。

やはり、待ってくれていたのだろうか。違っていても、そう思いたかった。そう思うことで、胸の奥にうずく痛みが和らいでいくのを感じる。

「おれに何か用か？」

遙の顔が夕陽に照らされ、赤く映えていた。

「用事っていうか、ハルの顔見たら、なんだか、もう済んじゃったかも」

「なんだよ、それ」

遙がわずかに歯を見せて、小さく笑う。

「変だよね」

真琴も八の字眉毛を上げて笑った。そういえば、遙と二人で話をするのは、ずい分久しぶりだと思った。この頃では、どこに行くのも凛が一緒なのだ。

　ふいに、遙が真琴の目を正面から見る。夕陽の光が瞳の奥まで照らし出し、遙の心が透けて見えるような気がした。

「真琴」

「なに？」

「水、こわいのか」

　心臓が跳《は》ねた。手に汗がにじむ。喉が渇《かわ》き、胸が苦しくなる。自分の周りだけ、酸素が少なくなったような気がした。平静を装《よそお》おうとしても、呼吸が乱れるのを抑えられない。

　遙の目を見つめる。心の中を見透《みす》かされていたのは、自分の方なのだと気付いた。幼い頃から、ずっとそうだった。自分のことは何も言わないくせに、真琴のことは何でも知っていた。知っていてくれたのである。そして、知らない振りをしてくれていた。心が開いていく。閉ざしていることに、何の意味も無くなっていく。

　遙は責《せ》めるでもなく、問い詰めるでもなく、いつもの口調で静かに訊いてきた。

「ずっと、なのか？」

　声を出さずにうなずく。水が怖いというのは、泳げるかどうかということとは関係がない。いくら泳げても、逃げられないものが水の中に潜んでいるのだ。それは眠っているように見えても、いつ襲って来ないとも限らない。その潜む物の怖さを知り、影におびえ、恐れる気持ちが真琴の心に棲《す》みついてしまったのである。

遙が、また短い言葉で問い掛けてきた。

「どうしてだ？」

遙に訊かれることは、嫌ではなかった。むしろ知ってほしいとさえ思う。ひょっとすると、遙にそう言ってもらえるのを待っていたのかもしれない。そう思う反面、弱い自分を恥ずかしいとも思う。隠していたわけではない。しかし、ずっと胸の中にしまい込んでいたことである。

「小さい時にさ、白い着物を着た人たちがいっぱい並んで歩いているの、二人で見たよね。覚えてる？」

遙が小さくうなずく。あの時、振り向いた子供の顔が真琴の脳裏《のうり》をよぎり、それは同時に、遙の記憶でもあるのだと思った。

「大きな漁船《ぎょせん》が沈んだんだって。何十人も乗っていた大きな船がさ。漁港《ぎょこう》から三キロぐらい、沖に行ったところだよ」

そういうことがあったのだと聞かされたのは、あの列を見た何年かあとのことだった。

海の方に遙が目を向け、真琴も海を見る。風が夕陽を運ぶように吹いていた。

「三キロなんてさ、ぼくらが平気で毎日泳いでる距離だよね。なんで漁師《りょうし》さんが、そんなところでおぼれたんだろう」

たったそれだけの距離を泳げない何かが、海の中に潜んでいるのだ。探そうとしても、きっと見つけることなどできない。もともと、目に見えるものではないのだ。そう思うよりほかになかった。

「プールに入ると、いつも余裕がなくなっちゃうんだ。泳ぐっていうより、何かから逃げ出してるって感じ。海でもないし、足だってちゃんと着くのにさ。……ぼくは、いつも水から逃げているんだ」

遙は何も言わずに聞いていた。陽は水平線に沈み、東の空が薄暗くなり始めている。真琴は海の方を向いたまま、目を伏せた。そして、その視線をゆっくり遙へと上げていく。

「ハルが川に落ちた時、ぼく、こわくて震えたよ。おさえても、おさえても、体の中から震えてくるんだ。手も足も、体中が震えて止まらなかった」

水の中に潜む何かが、遙を連れて行こうとしている。そう思った。遙が、いなくなってしまうと思った。それまでは、頭の中にだけ描いていた恐怖が、現実のものとなって襲い掛かって来たのだと。そして、〝恐れ〟以外の感情が、すべて真琴から吹き飛んでしまった。

あれ以来、何の前触《まえぶ》れも無く、突然、心の中にその恐怖が蘇《よみがえ》ってくる。家にいても、学校にいても、プールで泳いでいても……。その恐怖が訪《おとず》れると体が固くなり、思考が停止してしまうのである。襲い掛かって来る恐怖と戦うことで、精一杯になってしまうのだ。

「ぼく、松岡君に誘われたからじゃないんだけど、メド継、泳いでみようと思うんだ。だからさ……ハル、一緒に泳ごうよ。ハルがいなきゃ、ハルじゃなきゃ、だめなんだ。ハルと一緒に泳ぎたいんだ！」

真琴のぶつけるような言葉を、遙は身じろぎもせず、表情すら変えることなく、正面から受け止めていた。まるで、真琴の呼吸や脈拍《みゃくはく》も数えることができるのではないかと思えるぐらい、冷静な眼差しで。

その遙の眼差しが、真琴の火照《ほて》った心と体を冷ましていく。真琴は、急速に胸の中のさざなみが凪いでいくのを感じた。

「ごめんね。ぼく、なんだか変なこと言っちゃったみたい。あんまり気にしないでね。もう、暗くなってきたから帰るよ」

港の街灯がともり始め、東の空から月が昇《のぼ》ろうとしていた。

「じゃ」

そう言って真琴が石段を下りようとした時、遙の重い口が少しだけ開いた。

「考えとくよ」

「え？」

「メド継のこと」

真琴の八の字眉毛が、ふわっと上がる。目が細くなり、口元に笑みが戻った。今は、そのひと言だけで十分だった。

「じゃ、また明日。ハル」

「ああ」

真琴の心は、さっきとは比べ物にならないほど軽くなっていた。一人で抱えていた胸の荷物を、今ようやく降ろせたような気がしていた。たぶん、明日からも今日と変わらない日々が続くのだろうと思う。

水を怖がっているのに泳ぐのが好きで、だけどプールに入ると逃げたくなって、だから遥にいてほしいと思うのに、遥はいつも無愛想で……。

それでも今は、構わなかった。そんな自分を遥が知ってくれているというだけで、今は十分だった。

真琴は、夕闇の迫る石段を軽やかな足取りで家路《いえじ》に着いた。

朝の通学路には、今日も凍《こご》えるような風が吹いていた。誰もが肩をすぼめ、うつむいて歩くその道を、凛はひとり走っていた。白い息を吐いて他の子供たちを追い抜き、時折《ときおり》ぶつかりそうになりながら。

ポプラ並木の道は、スイミングクラブまでの道とは違い、ランニングには不向きだった。通学時間は人が多すぎて、思うように走れないのである。だから、凛がここで走ることの意味はあまり無く、少し周りの迷惑になっているだけだとも言えなくなかった。

凛が走るその先に、薄茶けた白いマフラーが風になびいていた。凛は少しだけ速度を上げ、そのマフラーに追い着くと、白い息をはずませながら足を止めた。

「おはよ。矢崎さん」

振り向いた亜紀の顔には、今日も笑顔が咲いていた。ひょっとしたら、ずっと笑顔のまま歩いていたのだろうかと思う。

「おはよ、松岡君。走って来たの？」

「うん、まあトレーニングみたいなものさ」

これ見よがしに、また白い息を吐いて見せる。

「へえ、すごいね。でも、こんなとこで走ったら危ないよ」

凛は、吐いていた白い息を呑み込んだ。

「うん、まあ気を付けながら走っているから」

亜紀のマフラーが風になびき、凛のほほをかすめた。洗っても落ちない汚れの付いたマフラー……。遙がなぜ土手を降りてまで、このマフラーを拾おうとしたのか、凛は知らない。それを今更、訊くつもりもなかった。真琴がなぜ震えていたのかを、追求するつもりがないのと同じように。

だから、亜紀がなぜこの薄茶けたマフラーをしているのかも、凛は訊こうと思わなかった。

「昨日さ、無理なこと頼んで、ごめん」

凛が言うと、亜紀は首を小さく横に振った。

「そんなことないよ。私も七瀬君、リレー泳いだ方がいいって思ってるもん」

「へぇー、どうして？」

凛のまっすぐな質問に、亜紀は笑顔のまま軽く目を伏せた。そして、ゆっくりと視線を上げ、どこか遠くを見つめる。

「七瀬君って、一人で何でもできるじゃない。勉強も運動も、絵だって上手だし。ほんと、何でもできちゃうんだよね。だから、みんなに頼られたりしてるんだけど、七瀬君、自分から誰かを頼ったりって、あんまりしないじゃない」

確かにそうだと思う。転校して来たばかりではあるが、凛の持つ遙の印象は、まさにそれだった。自分からは、進んで関わりを持とうとしないのに、孤立しているわけではないのだ。むしろ、クラスの中でも頼られている存在だった。そして頼られれば、いつも期待通りに応えてみせていた。そんな奇妙なバランスで、遙の周りは保たれているのである。

「七瀬君、優しいんだと思うの。だから言いたいことがあっても言わないし、ひとのことをあまり気にしないようにしてるんじゃないのかな。きっと、誰かを傷つけたり押しのけたりするのが嫌なんだよ。でも、そんなこと考えすぎるのって、あんまりよくないと思うの。七瀬君、もっと積極的になった方がいいと思うんだ」

凛はどう思うのかと、問い掛けるような視線を亜紀が向けて来る。はっきり言って、遙の性格をどうこうしようなんて、考えたこともなかった。どうにかなる性格だとも思えないし、凛が関心を持っているのは、遙とリレーを泳ぎたいという自分の思いだけなのである。

「おれも同じこと考えてた。あいつには、笑いのセンスが無さすぎるんだよ。少しはおれを見習えばいいのにね」

軽くおどけて、適当に話を合わせておく。その凛の言葉に亜紀が小さく笑った。

「ほんと。足して二で割れば、ちょうどいいのにね」

「それって、おれが調子に乗りすぎってこと？」

亜紀の意味ありげな笑みが、その言葉を肯定していた。

「そうじゃないけど。でも、やっぱり七瀬君が、みんなとがんばってるとこ、見てみたいな」

亜紀が、空を見上げる。その空には、いかにも冬らしい筋雲《すじぐも》が、クレパスで描いた絵のように流れていた。

遙が石段を下りて行くと、ちょうど真琴も下りて来るところだった。

「ね、遅れなかったでしょ」

「行くぞ」

遙と真琴は、白い息を吐きながら並んで走り出した。

睦月橋のたもとまで来ると、渚が待っていた。その渚が手を振るのに応えて、遙が右手のひらを小さく見せてやる。渚の視線が遙たちを通り越し、そっちにも同じように大きく手を振った。見なくてもわかる。それが凛であることぐらい。近付いてくる足音が次第《しだい》に大きくなり、橋に差し掛かる手前で並び掛けて来た。

「よっ」

凛の掛ける声に、遙は手のひらをちらりと見せて応えた。見ようによっては、向こうに行けと言っているように取れなくもない。

渚が遙に並んで走る。

「七瀬君。今日は、ちゃんと着いて行くからね」

「あんなところで休んでたんじゃや、トレーニングにならないぜ」

「じゃあ、明日から足踏《あしぶ》みしながら待ってるよ」

本気なのか冗談なのか、そういうところが渚らしくて笑いそうになる。後ろで真琴と凛が、遙の代わりに噴き出していた。渚がキョトンとしているところを見ると、どうやら本気だったらしい。

「足踏みっていっても、ものすごく速い足踏みだよ」

後ろにいる二人の笑い声が大きくなる。凛の足が一瞬もつれて、バランスを崩しそうになった。

「しゃべってると、置いてくぞ」

遙が、わずかにスピードを上げた。睦月橋の上には、今日も風が吹いていたのだろうか。橋を渡り終えるまで、遙はそのことを忘れていた。

渚が懸命に着いて来る。このままのスピードなら、並んで走ることができなくなってしまうだろう。昨日はそうした。渚の息遣いが荒くなり、一歩遅れるのを見て、遙は軽く目を伏せた。

——ここまでだな。

吐息の中にため息が混じる。そして遙の足が、ほんのわずかだけ緩《ゆる》やかになった。

「おっ」

凛が小さく言った。〝やさしいね、七瀬は〟。そんな声が聞こえてきそうな気がして、遙は胸の中で舌打ちをした。渚が苦しそうな顔をしながら着いて来る。もう、しゃべる元気さえ失せ

てしまったらしい。

岩鳶SCに着くと、渚はあえぐように肩で息をしていた。

「よくがんばったな」

凛が、渚の背中を軽く叩く。渚は何かをしゃべろうとしていたが、声にならない息を吐き出すばかりだった。それでも着替えてプールサイドに出る頃には、すっかりいつもの渚に戻っていた。

「松岡君。今日、リレーの練習するの？」

「そうだな」

凛が、気のあるような、無いような返事をする。練習しようにも、メンバーが揃わないのだ。それに、渚には関係のないことである。

「今日ね、五年生のタイムトライアルがあるんだ。それでね、もし、もしだよ、ぼくがブレで一番になったら、メドレー継のメンバーに入れてくれる？」

凛が、まじまじと渚の顔を見る。渚のどこにそんな自信があったのかと、そのきゃしゃな体から根拠《こんきょ》を見つけ出そうとした。

——違うのか？　おれが思っていた渚は、違っていたのか？

弟のように、かわいい存在でしかなかったはずだ。燃えるような闘志《とうし》など、今まで微塵《みじん》も感じたことがなかった。

しかし考えてみれば、まだ一ヶ月しか渚を見ていないのである。それに凛が五年生の頃は、もっと自信家で、もっと生意気だった。六年生を差し置いて代表に選ばれても、それが当然なのだと思っていたのだから。

「いいぜ。もし一番になれたら、の話だけどな」

ずい分、軽い約束をしてしまったと思う。その可能性は、まずないだろうという前提ではあったが。

「やった！　ねえ聞いた、七瀬君。ぼく絶対がんばるからね」

「そうだな、がんばれよ」

そんな適当な返事でも、渚には励《はげ》みになっているようだった。まだ泳いでもいないうちから、無邪気に喜んでいる。やっぱり考えすぎかと思い、凛もつられて笑っていると、真琴が心配そうにささやいてきた。

「ねえ松岡君、いいの？　あんな約束しちゃって」

「そんなに心配することじゃないさ。それに、一番になったらなったで、十分戦力として期待できるってことだし」

凛は、渚の中に隠れている本質を見極《みきわ》めてやろうと思っていた。その薄っぺらな胸に、やけどしそうなぐらいの熱いハートが、本当に詰まっているのかを知りたかった。メドレーリレーを泳ぎたいと言うのなら、それぐらいの物は持っていてもらわねば困る。

「そうじゃなくて、ハルのことだよ。渚、ハルがメンバーなんだって思い込んでるみたいだよ」

「その逆。渚には悪いけど、七瀬をメド継に出すためのささやかな作戦だよ」

望みは薄いけど、一着でゴールすることがまず第一条件である。凛の見たところ、遙は渚のことをそれほどうとんじてはなさそうだ。メンバーになったと喜ぶ渚に、自分は泳がないなどと、どこまで突っ張ることができるだろうか。渚を落胆させることに多少でも抵抗を感じてくれるのなら、そこに可能性があるかもしれないと思っていた。今日、渚のために足を緩めたように。

そんな祈りにも似た気持ちで奇跡《きせき》を待つという、ささやかな作戦だった。


五年生のタイムトライアルは、25mプールの短水路を利用して行われた。背泳ぎ、平泳ぎ、バタフライ、フリーの順に八人ずつの競争形式で50mのタイムを計測していくのである。

真琴は、遙から『考えてみる』という返事をもらっていた。しかし、それは『泳ぐ』という言葉までには、まだ少し距離があるように思っている。渚はリレーに出たいのではなくて、遙と泳ぎたいのである。遙がスイミングクラブにいるから、渚も入って来た。遙が走るから、渚も一緒に走る。遙がリレーに出るから、渚もリレーを泳ぎたい。渚に訊いたわけではないが、真琴の目にはそう映っていた。順番としては、やはり、まず遙がちゃんとメンバーになってから、渚のことを考えるべきだったのでは――、などと考えながら、真琴が五年生のタイムトライアルを眺めていると、スタート台の上に渚が立った。二種目目《にしゅもくめ》の平泳ぎが始まろうとしているのだ。他の五年生と比べてもきゃしゃに見えるその体に、いったい、どれだけのエネルギーが詰まっているのだろうかと思う。

渚がスタート台の端に足の指を掛けて、体を折り曲げる。そして手を台の端に掛け、合図を待つ。

「よーい」

――静寂《せいじゃく》――

ホイッスルが鳴った。八人が一斉《いっせい》に跳ぶ。渚の着水地点が他の選手より近い。一掻《ひとか》き、一蹴《ひとけ》り。水面に頭が上がった時点で三位。トップから頭ふたつ分ぐらい遅れている。いい位置だとは言えないが、焦っている様子もなく、力《りき》みも感じられなかった。むしろいつもより、ゆったりとしたストロークで泳いでいる。

同じ平泳ぎであっても、それぞれに異なるリズムやスタイルを持っている。渚のように大きなストロークで、たくさんの水を掻いて行く者。より多くの回転で、加速して行こうとする者。力強さを感じさせる者もいれば、ナイフのような鋭《するど》さで水を切り裂いていく者もいる。

20mを過ぎたあたりで、前を行く選手に、じわりと詰め寄り、二位に並び掛けるが、ターンでまた引き離された。それでも、もう一度、二位の選手に並び掛けると、その選手に焦りが出たのか、微妙《びみょう》にリズムを崩した。そして、そのままズルズルと三位に後退して行く。

残り10ｍというところで、渚が、またじわりと上がり、トップとの差がほとんどなくなった。勝敗《しょうはい》がタッチの差となれば、上背《うわぜい》に勝《まさ》る相手が有利かと思われたその時、ゴール直前で渚の手が伸びた。そして、その手が壁面に触れ、勝敗が決した。

渚が水面から顔を上げ、不安そうに辺りを見回す。タイムと順位を告げられ、その表情が一変した。高々と右のこぶしを上げ、水の中で飛び上がりながら喜びを表現する。

真琴が拍手《はくしゅ》を送ると、大きく手を振り返してきた。

「すごいよ、渚！　やったね！」

真琴が親指を立てて前に突き出し、渚もそれを真似た。腕組《うでぐ》みをしていた凛は、口を半分開けたまま、ほとんど放心状態になっていた。

「本当に、……やっちまった」

ようやく出てきた言葉が、それだった。

後ろで飛び込む音がして真琴が振り向くと、遙が泳いでいた。渚のタイムトライアルを見てから、泳ぎ始めたのだろうか。それとも、たまたまそういうタイミングだったのだろうか。訊いても教えてくれないだろうけど、もし渚のことを気にしていたのだとしたら、それは今までの遙に無かったことだ。遙の中で、何かが微妙に変化しようとしているのかもしれない。

真琴は胸の内から湧《わ》き上がってくるものを抑えきれず、遙の隣のレーンに飛び込んで行った。

凛はシャワーを浴びながら、隣のシャワールームに声を掛けた。

「七瀬、どうする？」

「なにが？」

「渚のことだよ。本当に一番になっちまったんだぜ」

「そうみたいだな」

つぶやくような遙の声が、シャワーの音に掻き消されそうになる。感心のなさそうな返事に物足りなさを感じて、凛は少し苛ついた声を上げた。

「で、おまえはどうすんだ」

答えの代わりに、シャワールームのカーテンを開ける音が聞こえてきた。凛は鼻から大きく息を吐き出して、頭を掻きむしるように洗った。

遙が更衣室に入ると、真琴と渚が先にいた。

「七瀬君、見ててくれた」

渚が、飛び付きそうな勢いで駆け寄って来る。

「ああ、見てたぜ」

その返事に、渚が満面の笑みを見せる。

「ぼくね、初めて一番になったんだよ」

「そうか」

気のあるような無いような、いつもの返事。それでも渚にはそれで十分なのだと、その笑顔でわかる。

凛がシャワールームから出て来るのを見つけると、渚はさっそく本題をぶつけてきた。

「だからさ、約束のことなんだけど。松岡君」

渚が遠慮《えんりょ》がちに言葉を止めて、凛をクリクリした目で見上げてくる。会話の脈絡《みゃくらく》がわからなくとも、渚との約束といえば一つしかなかった。

「約束だからな。渚もメドレ継のメンバーだよ」

凛が言い終るなり、渚は遙に向き直った。

「やった！　ぼく、七瀬君と同じチームになれたよ！」

「そうだな」

遙の何気ない返事が、真琴と凛の耳をかすめていく。あんまりさらりと言ったので、あやうく聞き逃してしまうところだった。真琴が、目をいっぱいに開けて遙を見る。

「ハル、今――」

「七瀬、ほんとか？」

真琴の言葉に、凛が言葉を被《かぶ》せる。もう一度訊き返さずには、いられなかったのだ。

「ほんとにメドレ継、泳いでくれるのか？」

「そのつもりだけど」

遙のそっけない返事に、喜びを隠しきれない凛。

「やった、やったぞ橘！」

ガッツポーズを真琴に向け、渚以上のハイテンションで叫んだ。

「うん！」

「よーし、今日からおれたちはチームだ。明日からガンガン練習するぞ！」

真琴と渚がうなずく。遙はタオルで頭を拭いていた。

「そうだ、これからは名前で呼び合おうぜ。その方が仲間って感じ、するだろ。というわけで、七瀬はハル」

遙の頭を拭く手が、一瞬止まる。タオルに隠れて、顔は見えない。しかし、またすぐに頭を拭く動作《どうさ》に戻った。

「橘のことは、真琴」

「ひねりがないよ」

真琴がおかしそうに、八の字眉毛を上げて笑った。

「ねぇ、ぼくは」

「渚は、今までどうり渚でいいよ。で、おれのことは、リーダって呼んでくれ」

「えーっ」

　渚が不満そうな声を上げた。

「ちがうよ。〝りいだ〟なんて名前じゃ、ないじゃない」

　真琴が笑い、凛があきれたように両手を腰に当てる。

「いいか、リーダっていうのはな、そのチームで一番えらくて、みんなの面倒を見る、まとめ役みたいなものなんだよ」

「そうなの？　でも、やっぱり〝りいだ〟なんて変だよ。〝リンリン〟でいいじゃない」

「あ……」

　凛が口を開けたまま固まる。真琴が腹を抱えて笑い、頭をふいている遙の背中が小刻《こきざ》みに揺れた。その真琴と遙を渚が指差す。

「それでね、マコちゃんとハルちゃん」

　真琴の笑いが止まり、遙がタオルを床に落とした。

「明日から楽しみだよね。リレーってさ、やっぱりチームワークだよね。みんなでがんばんなきゃね。いっぱい練習しようね」

　更衣室の中には、例えようのない空気が流れ、渚の声だけが春を思わせる陽気《ようき》さで響いていた。

「おはよ、七瀬君」

教室に入るなり、亜紀の明るい声が耳に飛び込んできた。

「おう」

とりあえず、最低限の返事だけをしておく。

「リレー、やるんだって」

教室を見渡す。真琴はまだ来ていない。凛がそしらぬ顔で、教科書やノートを出している。情報源《じょうほうげん》は凛だと確定した。

「一応な」

あくまでも積極的でないことを示そうとしたが、亜紀には伝わらなかったようだ。

「よかった。私、ほんとに七瀬君がリレー泳いでくれたらいいのになって思ってたの。でも、あの時うまく言えなくて、ちょっと気になっていたんだ」

気にするようなことじゃない。自分の周りには、他にも嫌というほど、お節介《せっかい》な奴らがいるのだ。そう思いながら、別の言葉を口にした。

「そっちのチームは？」

「うん、うまくいってる。毎日少しずつだけど、タイムも縮《ちぢ》まってきてるよ」

リレーに出るということは、つまりそういうことなのである。自分のためだけに泳げない。勝ち負けだとか、責任だとか、チームワークだとか、そういうものに関わっていくことになる。遙の避けてきたものが、全部そこに詰まっていた。

今までは、しがらみから解き放たれる場所を水の中に求めて泳いでいた。しかし、リレーを泳ぐということは、その水の中にしがらみを作ることになるのである。

「七瀬君がみんなと泳ぐとこ、早く見てみたいな。七瀬君のチーム、きっと一番になれると思うよ。みんな速いんだもん」

「おれのチームじゃないよ」

言葉を一度切ってから、息を吸い込む。そして、凛に聞こえるように声を張った。

「リンリンが、リーダだよ」

凛の肩がピクリと動く。クラス中の視線が凛に集まり、一瞬の静寂《せいじゃく》のあと笑いが起こった。亜紀もこらえきれずに噴き出していた。

凛が立ち上がり、肩を怒《いか》らせながら、遙のところにやって来た。昂《たかぶ》った気持ちを遙にぶつけるつもりかと思っていると、ひとつ深呼吸しただけで冷静さを取り戻し、遙と亜紀にだけ聞こえるような声で言った。

「あのさ、おれ、前の学校でずっと〝リンちゃん〟て呼ばれて、いじめられてたんだよね。それが嫌で転校して来たんだから、そこんとこ、頼むよ。〝リンリン〟なんて呼ばれたら、また転校しちゃうかもよ」

そんなことは、遙の知ったことではない。凛が前の学校でどうだったとか、そういうことにも興味はなかった。そもそも、いじめられていたという話そのものが、うさん臭い。

「ごめんなさい」

遙の代わりに、亜紀があやまった。

「いや、矢崎さんが、なんであやまんの？」

「私も笑っちゃったから。いじめられてたとか、そんなこと全然知らなくって」

「そうなんだよ。おれってシャイだから、言い返せなくてさ。そしたらいじめが、どんどんひどくなっちゃって、もう大変だったんだよ」

「そうなの」

亜紀が、まじめな顔で聞いていた。シャイな奴が、自分でシャイなんて言うわけもないのに。うさん臭いのを通り越して、笑いを取りに来ているとしか思えなかった。こんなので笑ってやるほど、お人よしじゃないけど。

ばかばかしくて付き合ってられないと思った時、タイミングよく真琴が教室に入って来た。

「おはよ、ハル。ザキちゃん。それから、えーと、リンリンだっけ？」

「それ、言っちゃだめだよ」

凜より先に、亜紀がまじめな顔で真琴に言った。

「え、そうなの？　昨日〝リンリン〟で、決まったと思ったんだけど」

「前の学校でね、名前のことで、いじめられてたんだって」

「いじめられてたって、誰が？」

「松岡君に決まってるじゃない」

お人よしの真琴が、八の字眉毛を上げて笑う。

「笑っちゃだめだよ」

亜紀があんまりまじめに言うものだから、真琴はなんとか笑いをこらえた。

「ごめん、ごめん。でもここには、そんなことで、いじめる人なんかいないから、安心していいよ」

真琴がそう言った時、つまらない試合の終了を告げるゴングのように、チャイムが鳴った。

三月になって陽射《ひざ》しが暖かさを増してくると、木々にも小さな芽が吹き始め、鳥の鳴き声も少しずつ盛んになってきた。睦月橋の上には、今日もまた風が吹いている。しかし、風はいつのまにか冬の厳しい寒さを失っていた。

遙と真琴の吐く息も、もう白くならない。透明で熱を持った気体となって、風の中に溶け込んでいく。遙の後ろから、凛が追い着くのとほとんど同時に、渚が合流して来た。

「ぼくね、休んでないよ。ずっと足踏みしてたもん」

渚の息が結構荒い。その息に凛の息が重なる。

「おまえってさ、毎日おんなじこと言ってるぜ」

「毎日ずっと足踏みしてるもん」

「だから、別に毎日言わなくてもいいだろ」

今日の凛は、どこか苛立っていた。渚の他愛もない言葉に絡んでくるほど。

「リンリンだって、毎日同じこと言ってるよ。おれたちは、チームだとか……」

渚が言い終わらないうちに、凛が言葉を被せる。

「あのな、渚。おれの名前は〝リン〟。〝リンリン〟なんかじゃないんだよ」

「え、ほんと？　あの難しい字って、〝リンリン〟って読むんじゃなかったの？　でも、ま、いいか」

「なにが？」

「これからも、リンリンでいいよね」

凛にではなく、遙に同意を求めた。

「いいんじゃない」

「ハル、おまえ」

遙に噛み付きそうな凛の前に、真琴が割って入る。

「だめだよ、渚。〝リンリン〟なんて言ったら、また転校しちゃうよ」

「だったらさ、もう〝リンちゃん〟でいいよ。まったく、わがままだよね」

凛が渚に何かを言おうとしたところで、遙がスピードを上げた。

「しゃべってると、置いてくぞ」

真琴が渚の背中を軽く叩いた。

「渚、遅れるなよ」

四つの熱い息が、春の近付いた川沿いの土手を風のように駆抜《かけぬ》けて行った。

初めの頃は、更衣室でもまだ荒かった渚の息も、今はもうすっかり落ち着いていた。走ることに慣れてきたのだろうか。遙がそんなことを考えていると、先に着替えを終えた凛が、腰に手を当てて急に声を張り上げた。

「みんな、聞いてくれ」

——でかい声出さなくても、聞こえてる。何熱くなってんだ。

遙は、それを言葉にせず、視線で訴えた。しかし、凛には伝わらなかったようだ。また、声を張る。

「大会が近いことは、みんなも知っていると思う。そこで、練習の方法を少し変えてみようと思うんだ」

真琴が、キャップをかぶりながら訊く。

「どんなふうに変えるの？」

「メド継中心のメニュー、ていうか、メド継一本に絞って練習をしようと思ってる」

「やった！」

間髪《かんぱつ》を入れずに、渚が両手を上げてよろこんだ。メンバーに入ってからというもの、渚は何かというとリレーの練習をしたがっていた。願ったり叶ったり、というところだろうか。

対照的に、真琴が不安そうな顔を見せる。

「他の練習は、どうするの？」

「しない」

「しないって……」

「メド継の練習だけに、集中したいんだ」

凛の熱い視線が、戸惑《とまど》う真琴に絡みつく。

「でも、練習しなきゃ、大会でちゃんと泳げないよ」

「他のレースには――」

凛が言葉を切って真琴を見る。そして、遙を見る。

「出ない」

静寂が更衣室の空気を占《し》め、密度が増して重くなった。その空気の中、怒鳴るでもなく非難するでもなく、まるでひとり言のように遙の言葉が宙を漂う。

「誰が決めたんだ」

「まだ決まってない。今から決めるんだ。おれは、メド継以外の競技には出ない。だから、みんなにもそうしてほしいと思ってる。そうしなきゃ、そこまでしなきゃ勝てないと思うんだ」

遙がロッカーの扉を叩き付けるように閉め、耳が痛くなるような音が響いた。

「誰に勝つんだ？　そいつは何秒で泳ぐんだ？　なんでおまえに付き合わなきゃならないんだ？」

「ハル！」

真琴が間に割って入る。遙はいいタイミングだと思った。これ以上、凛とやり合うつもりはないし、かといって凛のやり方に合わせるつもりもなかった。引きずり込まれるのも、突っ張るのも面倒だった。自分の意思で行動する——、そのことを伝えただけで十分なのである。だから真琴の割り込みは、いいタイミングだった。

早く凛の熱が届かないところに行きたい。早く水の中に体を沈めたい。

黙ったまま横を向いていると、真琴が問い掛けてきた。

「ハル。ぼくたちは、一緒のチームでリレーに出る。それは何があっても変わらないよね」

投げ出すつもりはない。適当な気持ちで、決めたわけではないのだ。だから、最後までやるつもりだった。その気持ちは変わらないし、変えるつもりもなかった。

返事をせずに黙って横を向いたままでいると、真琴が小さく息を吐いて凛に向き直った。

「なんで、そこまでリレーにこだわるの？　何か理由があるのなら教えてよ」

凛は毅然《きぜん》とした態度を崩さなかった。腰に手を当てたまま、真琴を透かして遙を見ている。反対意見は、覚悟の上だったのだろう。だからこそ、毅然とした態度で意思の強さを示そうとしているのだ。

「みんなに、無理強《むりじ》いをするつもりはない。だけど、本当にリレーで勝つつもりなら、それぐらいやんなきゃだめなんだ。おれは、やるからには絶対優勝したい。それが理由だよ」

勝つとか優勝するとか、遙の行動理由にない言葉が、凛の口から吐き出されてくる。

――そんなもののために、泳いでるんじゃない。

じゃあ、何のために泳いでるんだ。そう訊き返されるのが嫌で、遙は黙ったままでいた。

真琴が八の字眉毛を寄せ気味にして、当惑した表情を見せる。

「ちょっと待ってよ。ぼくも優勝はしたいけど、リレーだけ練習するっていうのは、ちょっと……。ブレにだって出たいし、フリーにも出るつもりなんだ」

真琴は前の大会で、平泳ぎの１００ｍに出て優勝していた。50ｍでは、平泳ぎとフリーの両方で、凛が優勝している。しかし、凛は優勝候補の競技を捨ててまで、メドレーリレーに集中しようと言うのだ。こんな意味のわからない提案に、当惑するなと言う方がおかしい。

「少し考える時間、もらってもいい？　で、とりあえず今日は、いつも通りの練習してもいい？」

真琴が言うと、凛が腰に当てた手を下ろして、いつもの笑顔に戻った。吐き出した息と共に、帯《お》びていた熱が拡散《かくさん》し、更衣室の中に消えていく。

「悪かった、急にこんなこと言い出して。もちろん、どうするかは個人の自由だし、おれがとやかく言えることじゃないよ。だけど、おれの気持ちはそういうことなんだって、それだけは、とりあえずわかっててほしいんだ」

真琴がうなずくと、それまで黙っていた渚が凛を見上げた。

「ぼく、リンちゃんとメド継の練習するよ。それでね、ぼくもメド継にだけ出る！」

凛の顔がほころぶ。理由はどうあれ、渚は凛の身勝手な提案を受け入れたのだ。

「ありがとな、渚。でも、おれの練習は、かなり厳しいぜ」

「大丈夫だよ。ぼく、五年生で一番なんだから」

胸を張って言う渚に、凛が気合を入れる。

「よし、じゃあ、さっそく練習だ！」

凛がゴーグルのゴムをパチンと鳴らし、渚がそれを真似た。

「うん！」

プールに向かう二人の背中を見ながら、遙は深い霧《きり》の中に迷い込んだような気がしていた。先のことが、まるで見えないのだ。巻き込まれるのは、御免だと思っていた。それなのに、もう、どっぷり浸かってしまっている。振り回されまいと思えば思うほど、霧は深く濃さを増していくばかりだった。

小さな飛沫を上げて水面が揺れた。一掻き、一蹴り。波紋が広がり、その先に渚の頭が浮上する。そして、ゆったりとした平泳ぎで水を掻き分けて行き、ターンをしてから戻って来る。その泳ぎ方がタイムトライアルの時とは少し異なっていた。

凛は、スタート台の上で、違和感を覚えながら渚の泳ぎを見ていた。渚が壁面に両手を触れ、水から顔を上げる。渚の頭上を越えて飛び込むはずの凛は、スタート台に立ったままだ。

「どうしたの、リンちゃん」

乱れた息の中で、途切《とぎ》れ途切れに訊いてきた。凛はスタート台の上でしゃがみ、真上から渚の顔を覗き込んだ。

「おまえさ、今の全力で泳いでた?」

「うん」

ゴーグル越しに、渚のクリクリとした目がまっすぐに凛を見上げてくる。不安も、疑いも、偽《いつわ》りも、その目の中には見当たらなかった。それでも凛は、渚の目の、更にその奥を覗き込もうとした。しかし、その必要はないのだとすぐにわかり、視線を外した。渚の目は、わずかなにごりさえなく、どこまでも透き通っていたのである。ゴーグル越しにさえ、それがわかるほどに。

渚は、考えていることを隠そうとしない。もともと、人に恥じるような考えを持ち合わせていないのだ。まっすぐに信じ、まっすぐに自分を表現することができた。それが、渚なのである。そういうのが凛にとって、一番やりにくかった。ごまかしたり、はぐらかしたりしているような奴なら、どこかに負い目を感じている分、心に隙《すき》ができる。凛自身も、本当のことを隠したまま心に隙を作っていた。

しかし、渚にはその隙がまったく無いのである。

「タイムトライアルの時と、泳ぎ方変えてない？」

「おんなじだよ」

どうやら本人は、気付いていないらしい。得てして自分のことはわからない、ということだろうか。思い込みや理想のようなものがじゃまをして、うまく見えないのかもしれない。

「タイム、落ちてるぜ」

「ほんと？」

渚がゴーグルを外し、凛を下から覗き込んでくる。瞳の中の、更にその奥まで。凛は立ち上がって、渚の視線から逃れた。

「この前の方がさ、速かったぜ」

競泳に、まぐれは無い――。これが凛の持論《じろん》だった。一度伸びたタイムは、そう落ちるものではないのだ。成長期にある自分たちは、特にそうである。体格や筋力のことだけではなく、技術的なことや心のことも含めて成長期にあるということだ。

「なんでだろ、おかしいな。ほんとに泳ぎ方なんて変えてないよ」

「おまえさ、競争してる時に相手のこと、見えてる？」

「うん、ちゃんと見えてるよ」

「じゃあ、それだな。相手より速く泳ごうって気持ちが、あるかどうかだよ。知らず知らずのうちに、その気持ちが渚を速くしてたんだ」

「気持ちで速く泳げるの？」

「泳げるさ」

気持ちの強さは、人を成長させる。時には進化と言ってもいいほど、劇的《げきてき》に変えてしまうことがある。渚がタイムトライアルの時に、実力を超える泳ぎを見せたのもそれが理由だ。そして、一度越えた限界を実力に変えることは、それほど難しいことではない。それが成長期にある、自分たちの特権だった。

「おれと泳いでみるか？」

「リンちゃんと？　でも、ぼく負けると思うけど」

「加減はするさ」

渚が出したタイムと同じ速さで泳ぐことぐらい、わけもなかった。

「おれを抜けば、渚の自己記録を更新ってことだからな」

「うん」

二人は並んでスタート台の上に立ち、呼吸を合わせた。そして凛が静かに言う。

「行くぜ。よーい、どん」

同じぐらいの距離に着水し、波紋を広げた。一掻き、一蹴り。渚の頭が上がり、その少し先に凛の頭が上がった。やはり渚が遅れてしまう。スタートで付いてしまった差を縮めるのは、簡単なことではない。渚の場合、飛び込む時の角度に問題があった。逆に言うなら、それを修正すれば、まだタイムが伸びるということである。これも簡単なことではないが。

凛は、渚の指先が水面に伸びてくる感触を、腰のあたりに感じていた。差が広がるでもなく、縮まるでもなく25ｍでターンする。残り15ｍを切ったところで、わずかに渚の指先が伸びて来たような気がした。しかし、差は縮まらない。気のせいだろうかと思ったその時、いきなり渚の腕が伸びて来た。指先だとか、気のせいだとかではなく、腕がはっきりと伸びて来たのだ。凛の肩口に突き刺さりそうな勢いで襲い掛かって来た。ゾクリッと、何かが凛の背中を走る。

タイムトライアルの時、渚に追い着かれそうになった選手が何故リズムを崩したのか、その理由が今ようやくわかった。

ストロークの度に差が縮まってくる。渚の腕が凛のあごを捕らえ、目の前をかすめる。残り5ｍのあたりで、渚の頭が凛に並び掛けて来た。凛の目には、もう渚は渚でなく、得体《えたい》の知れない何かとしてしか映っていなかった。

――抜かれる!

そう思った瞬間、凛は肩に力を入れていた。そして、頭一つ分の差をつけたままゴールすると、そのままプールサイドに上がってしまった。たかだか50mを泳いだだけとは思えないほど、息を荒くしながら。

加減をすると言った言葉に、嘘はない。コンマ五秒の誤差内で、渚のベストタイムを再現する自信もあった。それなのになぜ最後に力んでしまったのだろう。ひと言でいうなら、〝恐怖心〟。闘争《とうそう》本能が湧いてきたわけでも、ムキになったわけでもない。追い上げてくる渚に怯《おび》え、逃げ出してしまったのである。そして、渚と同じ水の中にいることにさえ耐えきれず、プールから飛び出してしまったのだ。

プールサイドで水を滴らせながら佇む凛を、渚が水の中から見上げてくる。

「どうしたの?　リンちゃん」

凛は、渚の顔をまともに見ることができなかった。

――なんで渚なんかに怯えてんだ。

自分に問い掛けてみたが、答えは返ってこなかった。目を合わせれば、その胸の内を見透かされそうな気がして、凛は横を向いたまま言った。

「やればできるじゃないか」

「できてないよ。だって、追い着けなかったじゃない」

いや、追い着いていた。渚は自己ベストに追い着いていたはずだった。凛が逃げなければ。

「腕がさ――」

言い掛けた凛の声が詰まる。

「うん」

いつもの渚の声だった。チームメイトであり、弟のような存在である渚。決して、〝得体の知れない何か〟なんかではなかった。凛は胸に支《つか》えていた空気を吐き出し、ようやく渚を見ることができた。

「腕が伸びてくるんだよ」

「ぼくの？」

そう言って渚は、自分の右腕を見た。

「そうだよ。後半、追い上げて来ただろ。あん時に腕が伸びてきたんだ」

「そうなの？　ぜんぜんわかんなかったけど」

「おまえさ、泳ぎながら、どんなこと考えてた」

「絶対に追い着いてやるって、それだけ」

あっさり言ってくれる。自分のフォームだとかリズムだとか、そんなことは考えないのだろうか。

人にはそれぞれ、自分に合ったフォームやリズムというものがある。それを見つけ出すのは簡単なことではないし、見つけたと思っても違っていたり、知らないうちに通り過ぎてしまうこともある。凛もまだ、試行錯誤《しこうさくご》を繰り返しながら探し続けている途中なのだ。だから、いつも考えながら泳いでいたし、決してがむしゃらに泳ぐようなことは無かった。力まかせに泳いだところで、タイムが上がるとも思えないのである。

しかし、極限《きょくげん》に近い集中力が、時として奇跡《きせき》のようにベストフォームを生み出すことも知っていた。集中力は、言い換えれば気持ちの強さ。確かに、気持ちで速く泳げると渚に言ったが、ここまではっきり現れるとは思ってもみなかった。

「おまえさ、今の泳ぎ方、もいっぺんできる？」

「うーん、よくわかんないけど」

フォームを意識せずに泳いでいるのだから、当然の返答である。どうやら渚は、体で覚えるタイプらしい。

「もう一度、おれと泳いでみるか？」

「うん」

渚が、プールサイドに上がる。きゃしゃで小柄な体なのに、どうやってあの追い上げを生み出せるのだろうか。ひょっとすると、そこに凛の探し求めているベストフォームのヒントがあるのかもしれない。あれこれと考えながら、スタート台の上に立つ。

「いくぜ」

一呼吸。

「よーい、どん」

凛と渚の足が宙に舞い、その体が水に吸い込まれて行く。

目指すゴールは50m先か、あるいはもっと遠くか。どこに向かっているのかさえわからないまま、今はただストロークを繰り返していく。強く、速く。ただそれだけを思いながら。

同じ種目を泳ぐ選手がグループになり、それぞれに分かれて練習をしていた。大会が近付いてきたので、専門種目に特化《とっか》するためである。いつもなら、こういう時期、真琴は平泳ぎのグループに入っているのだが、今回は背泳のグループにいた。

遙がフリーで、凛がバタフライ、渚が平泳ぎの専門となれば、必然的に真琴は背泳ぎということになる。

泳げないわけでもないし、苦手なわけでもない。しかし、大会では一度も泳いだことがなかった。だから、タイムも計ったことがなかったし、ある意味、ちゃんと泳いだことのない種目だった。ある意味とは、S字プルのことである。

今までは基本通り、ストレートプルで泳いできた。腕をまっすぐに伸ばしたまま、舟のオールのようにして泳ぐのだが、それだとロスが多くなり、あまりスピードが出ないのである。舟のオールなら左右同時に掻く分だけまだましなのだが、背泳ぎは交互に掻くため、まっすぐに進めず、強く掻き過ぎると金魚運動を起こしてしまうのだ。おまけに、掻き始めと掻き終りは、力が分散してしまうため、十分な推進力《すいしんりょく》を得ることができない。

一方、S字プルの動きには無駄が無く、理論的にはストレートプルより速く泳げるのだが、動きが複雑になるため、慣れていないとよけいに水の抵抗を受けてしまうことになる。

真琴は、両手でグリップを握り、両足を壁に押し付けた姿勢から、グイッと一旦、体を引き寄せ、斜め上に足を蹴った。空中に体があるのも束《つか》の間《ま》、すぐに水の中へと世界が変わってゆく。着水すると、蹴伸《けの》びの状態からバタ足を開始。浮上しながらストローク。そして、S字プル。

あ、と思った。あれ、と思った。違っていた。いつもと、違っている。いつもなら飛び込む時、魔物《まもの》にザラリと舐められるような感じがして体がすくみそうになるのに、今はそれが無かった。舐められるような感触はある。しかし、体がすくまないのだ。

腕が伸びていく。体が伸びていく。自分の泳ぎだと思った。水から逃げていない。これが、本当の自分なのかもしれない。本当の、自分の泳ぎなのかもしれない。

エントリーから、深く水を掻くようにキャッチ。そして、体の近くで弧《こ》を描きながら、ボールを投げるようにプル。もう一度深く掻きながらプッシュ。それと同時にリカバリーの手をグッと伸ばしてエントリー。

空が見えた。クラブの天井《てんじょう》を透かして、空が見える。魔物の気配は感じているのに、空を見ていると体がすくまなかった。振り切るようにして、逃げる必要もなかった。力いっぱい泳いでいても、力まかせではなかった。

ターンをして、またストロークを開始する。やはり違う。魔物の潜む水底《みなそこ》を見ずに泳いでいるからだろうか。それとも、空を見ているからだろうか。それもあるだろうと思う。しかし、最も大きな要因は、泳ぎ方にあった。ストリームラインを感じることができるのだ。正しい姿勢を意識しなくとも、体が自然にその形を作り出そうとするのである。考えるより先にグンッと伸びて、水に乗ることができた。水を感じるのである。

——海洋哺乳類《かいようほにゅうるい》なのかもしれない。

自分はもともと、海獣《かいじゅう》と呼ばれる海の生物だったのかもしれない。ばかげていると思う。しかし、そうとしか思えなかった。そうでなければ、この充実感はなんなのだ。この満たされていく気持ちは、一体どこから湧いてくるのだ。今まで味わったことの無い感覚が、真琴を水の中へ解き放っていく。

プールサイドに上がっても、まだ高揚《こうよう》したままだった。その気持ちをなんとか抑えながら、ベンチに向かって歩いて行く。ベンチには、亜紀が腰を掛けていた。

「あれ、ザキちゃんもバックだっけ？」

少し話し掛けてみた。

「あ、橘君。ううん。私は、フリー」

「休憩《きゅうけい》してたの？」

「うん……。ちょっと考え事」

「メド継のこと？」

「……ううん」

「あ、わかった。明日の花壇作りのことでしょ」

ようやくレンガが焼き上がったので、明日、真琴たちのクラスがそれを積むことになっていた。土を入れる作業だとか、水をやる作業だとか、クラスごとに役割を分担しているのである。

問題になったのは、レンガを積み上げるために、セメントを使わなければならないという作業だった。やり方は教えてもらうにしても、うまくできるかと心配する声も出ていたのだ。

「ううん。それは、左官屋《さかんや》さんが来てくれることになったから、もういいの。セメントを塗るのも、やってくれるって」

「それなら、ハルに頼めばいいよ」

「え、七瀬君に？　でも、むずかしいんでしょ？」

「大丈夫。ハル、家の庭に、自分でレンガを敷いてたから」

「お庭に？」

「うん。庭を歩くと、土が着いちゃうでしょ。それで雨の日とか、玄関が汚れるからって、セメントとレンガで通路を作っちゃったんだ。上手にやってたよ。ほんの１ｍぐらいだけどね」

「へー、そうなんだ。やっぱり器用《きよう》だね」

亜紀の見せる笑顔に、どこか翳《かげ》りを感じる。

「でも、考えてたことって、それじゃないんだよね」

「うん、……七瀬君のこと」

「ハルのこと？」

「私も今、フリーの練習ばかりしてるんだけど、七瀬君って、どうしてフリーしか泳がないんだろうって」

なぜ、そんなことが気になるのだろう。今に始まったことでもないのに。真琴は、遙の泳ぐフリーのグループに目を移しながら、亜紀に訊いた。

「どうして、そんなこと？」

「七瀬君のフリー、すごく速いじゃない。だから、どんな気持ちで泳いでるんだろうって考えてたの。その気持ちが少しでもわかれば、私も速くなれるかもしれないって」

真琴の目が、遙を捉《とら》える。遠くからでも、すぐにわかった。イルカのような優雅さで、ゆったりと泳いでいる。遙も水を感じているのだろうか。

「ハルね、別に泳ぐのが好きなわけじゃないんだ」

「え？」

「別に、フリーが好きってわけでもないし」

「でも、それじゃ、どうして……」

真琴が、フリーのグループに向けていた視線を亜紀に戻す。

「訊いたわけじゃないけど、ハルにとって泳ぐってことは、ぼくたちの泳ぐことと少し意味が違うんだ」

「それって、どういうこと？」

亜紀が真琴を見つめたまま、まばたきをする。まるで、真琴が珍しい生き物でもあるかのように。

「ハルはね、水の中にいることが自然なんだよ」

「え？」

「それでね、一番自然な形が、きっとフリーなんだ」

「それって、生まれ持った適正《てきせい》、みたいなこと？」

「うん。ひと言で言っちゃえば、本能かな。イルカやクジラに、なんで海にいるのかって、きくようなもんだと思う」

真琴自身、ついさっき、それに近いことを感じていた。はっきり、そうであると断言《だんげん》できるわけではない。しかし、それほど大きく外れてもいないだろうと思う。

「もし、そうだったら、私には理解できないかもね」

「誰にも理解なんてできないよ。ハルの本当の気持ちなんて……」

亜紀が、フリーのグループに目を向ける。その中で泳ぐ遙に。

「じゃ、ぼく、練習に戻るから」

言いながら、亜紀に背中を向けた。

「うん」

真琴は、亜紀の視線が遙に向けられたままであることを、その返事の小ささで感じながら、背泳グループに戻って行った。


焼き上がったレンガが、桜の下に置かれていた。こげ茶色だった土の塊《かたまり》は、鉄分が酸化して赤みを帯び、春めいた陽の光に照らされながら、整然と積み上げられていた。

その隣には、袋に入ったセメントと金属製のバケツ、それと細々《こまごま》とした道具が置かれていた。セメントを水で練るのは男子の役割である。封を切ると灰色の粉が舞い上がり、すぐに静《しず》まった。シャベルを突き立てると舞い上がり、バケツに移すと舞い上がり、水を入れるとまた舞い上がり、そしてすぐに静まった。

桜の木の両側が、いくらほどもない深さで四角く掘られている。そこが花壇になる予定らしい。四隅《よすみ》に杭《くい》を打ち、糸を張り、その糸で水平を確認しながら、レンガを一段ずつ積み上げていくのである。レンガにセメントを塗りながら並べていき、一段目を終えたら、またその上にもセメントを塗って、二段目のレンガを並べる。そんな手順で作業を進めていくのだ。

そのセメントを塗るという作業が、問題の難関《なんかん》だった。高さを揃《そろ》えながら、等間隔《とうかんかく》にレンガを並べていかなければならないので、慎重さと器用さが要求されるのである。

あらかじめ打ち合わせていたとおり、遙の元へ道具が運ばれて来た。遙は迷うことも、ためらうこともなく、その道具を手に取り、桜の根元に向かった。

レンガを運ぶのは女子の役割。その運ばれて来たレンガを、遙がセメントを塗りながら並べていく。

「ごめんね、七瀬君。大変なこと、お願いしちゃって」

亜紀が、レンガを遙に手渡しながら言った。

「別に。前にもやったことあるし、今も左官屋さんから、説明聞いたし」

亜紀の顔も見ずに答えた。しっかりと、指先まで集中しなければならない。少しでも油断《ゆだん》をすれば、セメントが波打ち、レンガが傾くことになってしまう。レンガには、それぞれ何かのメッセージが書かれていた。しかし、そんなものに気を取られていると、たちまちコテ先が乱れてしまいそうになる。

遙は、ただセメントを塗ることだけに集中した。桜の周りに花壇を作ることへの抵抗も、心のどこかに追いやって。

「うまいもんだな」

凛が後ろから声を掛けてきた。返事を求めているわけではないので、聞こえているという素振りも見せない。板の上にあるセメントをすくい、作業を続ける。

「おれも、やってみようかな」

――わざわざ言わなくても、やりたければ勝手にやればいいだろ。

凛の足音が遠ざかるのを聞いたあと、ふと、セメントが微《かす》かに波打《なみう》っていることに気付いた。凛に声を掛けられたぐらいで、心を乱していたのだろうか。胸の中で小さく舌打ちをする。

しばらくすると凛が戻って来て、遙の向かい側に座った。右手に持った左官ゴテを使い、意外と繊細《せんさい》な手つきでセメントを均《なら》していく。遙と凛の距離は、２ｍと離れていない。嫌な距離だと思った。もっと近くなら、あからさまに逃げることもできたし、もう少し離れていれば、会話をするのに適切な距離ではなくなる。

「ハル、明日からタイムを計ろうと思うんだ」

思った通り話し掛けてきた。

「試合形式の練習、しようと思うんだけど……」

意味ありげに言葉を切る。いつものように勝手に決めたりしない。凛にしては、弱気なことだと思う。

「別にいいけど」

いつものように無表情のまま、レンガから目を離さずに答える。別にそんな話を今しなくてもいいだろと思いながら。

凛が満足そうに小さくうなずいた。

「渚、速くなったぜ」

知っている。仮にも同じメンバーなのである。

「あいつ、腕が伸びて来るんだぜ」

「……」

「アップキックだよ。渚、自分でも気が付いて無いみたいだけど、足を引き寄せる時に、跳ね上げてるんだ。ただし、ここ一番って時にしか出せないみたいだけどね」

「……」

「あとはさ、スタートさえちゃんとできれば、もっと速くなるぜ。あいつ」

そうかもしれないが、別に今話さなくてもいいことだ。静かにならないだろうか。

「試合の感覚っていうか、タイミングとか集中力みたいなの、渚に教えてやろうと思うんだ」

――教えてやれるほどの何を、おまえは持っているんだ？

軽い苛立ちを振り払い、遙はコテの動きに集中した。セメントが波打たないように、気を遣う。もう、凛の話などに構いたくなかった。

一段目をようやく終え、立ち上がってひと息つく。全部で三段積まなくてはならない。陽はまだ高く、夕暮れまでには片付きそうだった。できればもう少し早く終わらせて、スイミングクラブに行きたいと思う。たとえ十分でも構わないから、泳ぎたいと思った。

凛を見ると、もう一段目を終えようとしていた。上面《じょうめん》も平坦に均され、ていねいに仕上げられている。よくしゃべりながら、器用にこなすものだと感心させられる。

「ハル、おかわり持って来たよ」

真琴がセメントの入った金属製のバケツを、重そうに両手で持って来た。それを遙の前に置いて、ひと息つく。バケツの中には、たっぷりセメントが入っていて、その重さは容易《ようい》に想像できた。二人掛りでようやく持てるというのが、普通の小学生だろう。

最近、真琴の体付きが、またひと回り大きくなったような気がする。特に身長が伸びたわけでもないが、何かよろいをまとっているような、そんな感じがするのである。

「今日、練習に行けるかな」

真琴の、のんびりとした口調が、春を迎えようとしている青空によく似合っていた。凛が一段目の作業を終えて立ち上がる。

「今、ハルにも言ってたんだけど、明日から試合形式の練習、やろうと思うんだ。タイムも計ってさ」

「そうだね。大会も近付いて来たしね」

凛の相手は真琴に任せて、遙は二段目の作業に取り掛かった。黙々《もくもく》と作業をしたかった。何も考えずに、これが卒業制作であることも忘れ、桜の木の下であることさえ、どこかに追いやって、ただの作業として終わらせたかった。

——早く水の中へ体を沈めたい。

それだけを思うようにした。

ほほをかすめる風が、春のおだやかさを感じさせる。その生ぬるさを振り払うためにも、早く水の中に入りたかった。

小鼓山《こつづみやま》は、春になると少しだけ背が伸びる。明神山より頭一つ分だけ小さいので、昔からふたつの山は兄弟によく例えられていた。小鼓山は、木の芽が吹き始める頃になると、まるで兄に追いつこうと背伸びをする弟のように、わずかだけ背が伸びるのである。

実際に山の高さが変化するわけではない。植物の分布や木々の繁殖《はんしょく》のしかた、空の色などによって、そう見えたりすることがあるらしい。

遙は、頬に伝い落ちる汗を拭いながら、睦月橋に差し掛かろうとしていた。いつもよりペースを上げていることもあるが、気温がかなり上がっていた。

今日は、真琴も凛も来ないだろう。渚は、とっくに行ってしまっている。一人で橋を渡るのは、久しぶりのことだった。橋の上は、今日も風が吹いている。走りながら風を感じるのも、久しぶりのような気がした。もともと、こうして一人で走るつもりだったのだ。渚や凛と走ることなど、遙の予定には、まったくなかった。チームで泳ぐということも、そうである。

水泳というのは、基本的に個人競技で、その延長線上にリレーがあるのだと思っていた。だから練習は個々で行う方が合理的であり、チームであることにこだわる必要など、どこにもないはずなのだ。

もし、これが野球やサッカーなら、フォーメイションや連携《れんけい》プレーなど、確かにチームプレーも必要になってくるだろう。お互いの能力を理解し、それぞれがカバーしあい、全体としての力やバランスを整えなければならない。呼吸だとかアイコンタクトだとか、練習していなければ、とうていできないこともある。

しかし、水泳にはアイコンタクトもフォーメイションも必要ないのだ。飛び込んでしまえば一人なのである。それぞれが持てる力を発揮し、速く泳げばいいだけのことなのだ。他に考えることなど、何もないはずだった。

凛が熱く語り、真琴が遙でなければだめだと叫び、渚がメンバーに入りたがり、亜紀に泳いだ方がいいと言われた。

リレーという競技に、それほどの何があるというのだろうか。自分の知らない何かがそこにあるのなら、たとえ代償《だいしょう》を払ってでも、やってみる価値はあるのかもしれないと思った。他人に干渉《かんしょう》され、むりやり協調《きょうちょう》し、自分の意思に反することを強要されるという代償を払ってでも。

一度覚悟して決めたことである。簡単に覆《くつがえ》すつもりはなかった。だから四人で泳ぐことも、四人で走ることも拒むつもりはないし、それがリレーに必要だというのなら、拒む理由もなかった。ただ、遙はまだリレーという競技に、特別な意味を何も見出せないでいた。水の中で、しがらみにまとわり付かれたまま、泳ぎ続けているだけなのである。

更衣室からプールサイドに出ると、渚が絡み付くように寄って来た。

「ハルちゃん、何してたの。遅かったじゃない。リンちゃんとマコちゃんは？」

調子が狂《くる》う。一年前の自分と比べても、渚は幼すぎた。突き放したり、うとんじたりする対象として考えづらいのである。どう扱っていいのか、いまだによくわからない。かといって、愛想を返してやるほど、お人よしにもなれないけど。

できるだけ、いつもの自分として接するようにしていた。いつもの自分であろうとすることが、既にいつもの自分ではないことに矛盾を感じながら。

「卒業制作だよ。あいつら、今日は来れないかもな」

「なーんだ。でも、まあいいや。早く練習しようよ」

渚の言う練習とは、即《すなわ》ちリレーのことである。今、渚が泳ぐことの意味は、すべてリレーにあった。速く泳ぎ、そして勝つ。明確すぎるほど単純な目標だった。少なくとも遙よりは、リレーに意義を見出している。

同じメンバーだからといって、同じ目標を持たなければならないのだろうか。それがチームワークというものなのだろうか。それが協調性というものなのだろうか。もし、そうだというのなら、遙は泳ぐことの意味を失くしてしまう。

渚がスタート台に立った。

「よーい、どん」

自分で言ってから、飛び込んで行く。凛のように技術的なことを言うつもりはない。そもそも、そんなことを意識して泳いだこともなかった。まして他人のフォームに興味を持ったことなど、一度もなかった。しかし、感じるのだ。渚の泳ぎに、どこか不協和音のようなものを。言葉では言い表すことはできないが、ただ感じるのだ。ゼンマイの切れ掛けた、メトロノームのような違和感を。ギアの錆付《さびつ》いた、自転車のような抵抗を。

50ｍでターンをして戻って来る。70ｍを過ぎたあたりで、渚の腕が伸びたように思えた。身長とは不釣合《ふつりあ》いなほど、腕が長く感じられたのだ。その瞬間、違和感が消えた。

渚は相変わらず、ゆったりとしたストロークでリズムを刻んでいる。特に力を入れたり、ストロークの回転を上げた様子はない。それなのに、残り15ｍのあたりで、さらに加速する。そして、残り５ｍでもう一度加速してから壁にタッチした。

遙の足がスタート台を蹴り、体が宙を舞う。

渚がそんな泳ぎ方を始めていたことは、凛から聞いていた。しかし、実際に目の前で見ると、理解し難《がた》いものを感じてしまう。

無意識のうちに、渚と小鼓山が遙の中で重なっていた。春になって背が伸びたように見えるのは、錯覚なのだと知っている。渚のことも錯覚なのだろうかと考えて、すぐに否定した。山と渚を重ねていること自体を否定しつつ、いつものように水の切れ目に体を滑り込ませて行く。

大会に向けての本格的な練習が始まったのは、卒業制作の花壇に土が敷かれ、何かの種が蒔かれた頃のことだった。一日の練習メニューは、大まかに前半と後半に分けられ、前半は同一種目を泳ぐ者どうしが集まってタイムを計り、後半はリレーや長距離などの練習に当てられていた。

遙はフリーを、真琴は背泳ぎと平泳ぎを前半に泳ぎ、そのあとリレーに参加するというのが、ここのところのメニューになっていた。凛と渚の練習メニューは、前半も後半もリレーだけである。

今日は、亜紀と優希が凛たちの練習に参加していた。亜紀たちは、たまにこうしてリレーの練習に参加することがあった。同じリレーを泳ぐ者でなければわからない、不安や焦りのようなものを少しでも和らげようとして、凛たちと合同で練習をするのである。

渚の両手が壁面に触れ、凛が飛び込んで行く。渚はゴーグルを上げ、まだ続けるんだという目をしながら、遠ざかる凛を見送っていた。荒い息の中にため息が混じる。

亜紀は、渚がこれほどがんばれるとは思ってもみなかった。もう、何度目なのかもわからなくなるほど続けているのに、弱音のひとつも吐かないのだ。相当疲れているはずだった。飛び込みも型がくずれてきているし、平泳ぎのスピードも落ちてきている。

遙たちのチームでは、レベルが高すぎるのではないかと思うこともある。おそらく、渚自身もそれと似たようなことを感じているはずだ。でも、だからこそ、がんばっているのかもしれない。チームの足を引っ張るような存在でありたくないと、懸命に思っているのかもしれない。

渚が、プールサイドに上がろうとして、うまく力が入らず、また水の中へ戻って行きそうになるのを亜紀が腕をつかんで引き上げた。

「ありがとう。ハァ。ザキちゃん。ハァ」

「ちょっと休みにしようか」

「うん」

あえぐような息の中で、渚はうなずいた。渚は強がったり、見栄《みえ》を張ったりということをしない。がんばれと言われればがんばるし、休んでいいと言われれば休む。渚はいつも、ありのままの渚だった。

亜紀が両手をメガホン代わりにして対面《たいめん》に叫び、優希からOKサインが返って来た。そのあと、凛が壁面にタッチした。

渚がへたりこんでキャップをはずす。その隣に亜紀が座った。

「渚君、速くなったね」

「うん、でも、もっと速く泳がなきゃ負けちゃうよ」

「負けるって、誰に？」

「わかんない。リンちゃんが言ってた」

「ふーん、そう」

亜紀は、水から上がろうとしている凛に目を向けてみた。凛は誰と競《きそ》い合っているのだろう。いつも急いでいるような気がする。いつも何かを求め、どこかに向かって走っている。そんな凛のあとを、渚はどんな気持で追い掛けているのだろうか。

「ザキちゃんって、飛び込みのしかた、誰に教えてもらったの？」

ふいに訊かれ、亜紀が戸惑う。

「さあ、どうだったかな。でも、どうして？」

「うまくいかないんだ。いろいろやってみるんだけど、なんだか違うんだ。リンちゃんにきいても教えてくれないし」

「ふーん、そうなんだ。どうして教えてくれないのかな？」

意外だった。凛は、渚のことをずい分気に掛けていると思っていたのに。

「ねえ、どうしたらうまくいくと思う？」

そう率直《そっちょく》に訊かれても答えに困る。飛び込みのフォームなんか、あまり気にしたことがなかった。

亜紀は、自分が飛び込む時のイメージを頭の中に描いてみた。スタート台の上に立ち、両足を少し開いて、親指を端に掛ける。体を折り、前屈姿勢《ぜんくつしせい》を取って両手をスタート台に掛ける。グイッと体を引き寄せ、その反動で跳びながらゴールを見つめる。

亜紀はそこまで考えて、渚の視線が着水地点に向いていたことに気が付いた。別にどこを見ていても構わないのだろうけど、何か違うような気がする。うまく言葉では説明できないが、あえて言うなら目指すゴールがどこにあるのか、ということだろうか。論理的な返答ではないと思う。しかし、他に適当な答えが見つからなかった。

「あのね、飛び込む時に、もう少し先の方を見てみたらどうかな」

「どれぐらい先の方を見るの？」

「向こうの壁まで飛ぶんだ、ていう感じかな」

「ふーん」

渚のクリクリとした目が、亜紀を見つめる。まっすぐな瞳で見つめられると、妙な後悔《こうかい》のようなものが胸に広がった。あいまいなことを言って、ごまかそうとしていたのではないかと、自分を責めたくなってしまう。正直に、わからないと言った方が、良かったのかもしれない。そう思うと無意識のうちに渚から目をそらしていた。

「わかった。やってみるよ」

渚が、笑顔でそう言った。

対面の凛から、練習再開の合図が送られてきた。そのまま凛が飛沫を上げて飛び込むと、渚がスタート台に向かった。

亜紀は、渚から開放されたことに、どこかほっとしていた。渚が嫌なわけではない。むしろ、どこか弟のような感じがして、放っておけない存在でもあった。それなのに、そのまっすぐな瞳で見つめられると、急に自信を持てなくなり、逃げ出したくなってしまったのだ。弟だったはずの存在が、触れたくない何かに変化したように思えた。まるで、自分の中にいる本当の自分が、目の前に現われたような……。

そして、その渚から開放されたと思う自分が、また少し嫌になる。

渚が跳ぶ。眼差《まなざ》しは、ゴールを見据えていたのだろうか。自分の納得できるスタートが、ちゃんと切れたのだろうか。そんなことを思いながら、亜紀がスタート台に一歩足を進めようとした時、プールから上がって来た凛に呼び止められた。

「矢崎さん。渚に何か言った？」

泳いだばかりだというのに、息ひとつ乱していない。別に責めるような口調でもなかったけど、妙に気が引けてしまった。

「うん、飛び込みのこと」

凛が渚を振り返る。

「やっぱりね。なんかさ、今のあいつのスタート、ちょっと違うなって思って」

「……見る場所のこと」

「え？」

「飛び込む時に、ゴールを見た方がいいって言ったの」

「ああ、そうなんだ」

「松岡君は、どうして渚君に教えてあげないの？」

渚が25m付近を過ぎ、加速して行く。

「渚はさ、型にはめて速くなるタイプじゃないんだよ。理屈《りくつ》だとか理論だとか、頭でわかっていても、それを体でうまく表現できないんだ。だけど心で感じたことなら、はっきりと泳ぎに出てくるんだよ。自分でも、気付いてないんだろうけどさ」

亜紀は、ゴーグルを装着した。

「じゃあ、よけいなこと言っちゃったかな」

「いや、いいと思うよ。矢崎さんの言ってくれたことって、気持ちのことだと思うんだ。そういう気持ちで泳げってことなら、中途半端《ちゅうとはんぱ》な理屈よりもさ、渚に伝わったと思うよ。ほんと」

「うん」

亜紀は、うなずいてからスタート台の上に立った。両足を少し開いて、親指を端に掛ける。体を折り、前屈姿勢取る。両手をスタート台に掛けながら優希を待つ。グイッと体を引き寄せ、その反動で跳びながらゴールを見つめる。

宙に舞いながら、自分の心をまっすぐに見つめてみた。

──渚のように、素直な気持ちで水泳と向き合ったことがあっただろうか。

そう問い掛けて、あやふやな返事しか返せない自分が嫌になる。そのことに、今まで触れるのを避けてきたことにも嫌になりながら、亜紀は水面に飛沫を上げた。

卒業制作の花壇には、ポツリポツリと何かの芽が生え始めていた。種は女子が蒔《ま》いていたが、何の種なのかは男子に秘密なのだそうだ。真琴の言っていた、卒業式の頃に咲く花だろうか。とうてい、間に合いそうにもないけど。

桜の木を見上げる。まだ、つぼみはない。桜の花びらが舞うプールで泳ぎたいという凛の願望《がんぼう》も、叶えられそうになかった。

足元を見下すと、薄茶色の地面が広がっていた。その地面の下には、桜が深く根を張っているのだろうと思う。何年も掛けて張ってきた根の上に、花壇なんかを作られて、どんな気持ちでいるのだろうか。もし、自分がこの桜だったら、どう思うだろう。

そう考えてから、苦笑いを浮かべた。もし自分が桜なら、きっと何も思わない。花壇なんかに気を取られたりしない。惑《まど》わされたり、うとんじることもない。空に向かって大きく枝を張ることができれば、他に何も望まない。

こだわっていたのは自分だけで、当の桜は気にも掛けていなかったのかと思うと、何だか笑えてしまった。

「芽が出たのが、そんなにうれしいのか？　ハル」

いつの間にか、凛と真琴がすぐ側に立っていた。

「別に」

凛に何を考えていたのかなど、説明するつもりはなかった。だからと言って、否定するのも面倒くさい。だから、そう答えた。

「もうすぐ卒業だよね」

真琴が桜を見上げながら、感慨深そうに言う。

「ほんとだな。思い出の詰まった学《まな》び舎《や》ともお別れか」

へたな役者のように、凛がやたらと声を張った。いちいち反応してやるほど、優しくはなれない。真琴のようには。

「まだ、二ヶ月しかいないじゃない。前の学校の卒業式に出た方が、いいんじゃないの」

凛の笑顔が、急に冷めていく。花壇に目を落とし、小さな芽を見つめる。

「佐野小とは、ちゃんと別れて来たよ」

へたな役者にしては少しましな演技で、憂《うれ》いを含んだような表情を作る。

「ごめん。なんかよけいなこと、言っちゃった」

真琴がまた反応する。それが例え演技でなくとも、気にするほどのことでもないのに。

「気にすんなよ。もう昔のことなんだから。今はおれも、岩鳶小の一員だってことだよ」

「そうだね。一緒に卒業するんだよね」

そこまで言ってから、真琴の笑みが少し曇った。何かを言おうとして、視線を凛に向けたまま、そこでためらう。

「なに？」

真琴の視線に、凛が問い返す。

「うん、ちょっと気になってたんだけど。昨日の説明会、来てなかったよね」

中学の説明会のことである。制服や教科書、クラブ活動などについての説明があった。しかし、凛はそこに来ていなかったのだ。

凛が、まだつぼみをつけていない桜の木を見上げる。陽の光が枝の隙間《すきま》を縫って、その目を細めさせた。

「おれ、こっちの中学、行かないから」

遙が凛に視線を向ける。冗談なのか本気なのか判断がつかず、凛の表情から真意《しんい》を読み取ろうとしたのだ。しかし、桜の枝を、あるいは空を見上げる凛の顔には、木漏れ日《こもれび》が模様《もよう》を作るだけで、何も読み取ることができなかった。遙は桜と向き合ったまま、真琴の言葉を待つことにした。こういう場合、遙の訊きたいことは、いつも真琴が代わりに訊いてくれることになっている。

「それ、どういうこと。どうして何も言ってくれなかったの。ぼくたち、同じチームなんだよ。友達じゃないの？」

どこに行くのかとも、何をするつもりなのかとも訊かなかった。今、同じチームであるとい

うことが、真琴にとって何より重要なことなのだろう。だから、なぜ言わなかったのかという、気持ちの問題だけを責めていた。

遙には、とても言えないことである。〝チーム〟だとか〝友達〟だとか。真琴は、そんなものをいともたやすく受け入れ、言葉にしてしまう。聞いていて、こっちが恥ずかしくなるほどに。

「黙《だま》ってたわけじゃないんだ。昨日、行く場所が決まったんだ」

「昨日？」

まったく話が見えてこない。〝昨日〟だとか〝行く場所〟だとか。そもそも、なぜ転校なんかして来たのか、なぜ遙や真琴を巻き込もうとするのか、なぜリレーなんかにこだわっているのか、肝心なことは何も話さないままなのだ。

凛は、まぶしそうにしていた顔を軽く伏《ふ》せ、つぶやくように言った。

「おれ、オーストラリアに行くんだ」

「オーストラリアって、外国の？」

真琴が間の抜けたことを訊く。外国に決まっている。日本にそんな場所はない。そして、話の流れから、旅行に行くわけでもなさそうだ。

「いくつかのスクールに留学希望を出していたんだけど、昨日、ようやく受け入れ先が決まったんだ」

真琴が戸惑っていた。何かを言おうとして口を小さく開けたまま、固まっている。きっと、頭の中をいくつもの言葉が行き交っているのだろう。

「オーストラリアに行こうって決めてから、この学校に転校して来たんだ。みんなには、どこに行くのか、ちゃんと決まってから言おうと思ってた。中途半端に引っ掻き回して、みんなに迷惑掛けたくなかったんだ」

――どこまで勝手な奴だ。

遙は、抑えきれないほどの憤りを感じて奥歯を噛《か》みしめた。もう十分に引っ掻き回されているし、迷惑なら掛けられっぱなしだ。

「……ごめん」

遙の気持ちを察したのか、凛が小さく口の中で言った。

明らかに春の匂いを含んだ風が、遙にまとわりつく。早く泳ぎたいと思った。この甘ったるい風を早く振り払いたいと思った。そして、わけのわからない奴とのしがらみから、早く開放されたいと思った。

真琴が、頭の中を行き交ういくつもの言葉の中から、ようやく短い問いを見つけ出した。

「どうして、オーストラリアに行くの？」

「水泳の勉強」

短い問いに、必要最低限の答えが返ってきた。

遙は桜と対峙《たいじ》したまま、凛に訊いた。

「おまえ、何がしたいんだ」

あるか無しかの風にさえ、負けてしまいそうな声だった。

「オリンピックの選手に……なりたい」

笑えない。何にでもなればいい。しかし遙は、そんなことを訊きたかったのではない。いつもそうだ。自分のことは隠したまま、勝手なことばかりを言っている。そして今も自分勝手なことを言いながら遙の前に――、桜の下に立っていた。

八の字眉毛を上げて、目を広げたままの真琴が、思い出したようにまばたきを一度した。

「いつ、いくの？」

「大会の……次の日」

「じゃあ、一緒に泳げるのって、もう何日もないんだね」

真琴が遙を見る。見られているとわかっていながらも、桜と向き合ったまま黙っていた。

――ハルは、どう思う？　本当の気持ちは、どうなの？

真琴の目がそう訊いているような気がして、まともに顔を見ることができなかった。やり場の無い憤りを感じ、それを胸の奥に封じ込め、ここから逃げ出したい衝動を抑えるのがやっとだった。早く水の中へ体を滑り込ませたい。水は、遙をよけいなしがらみから開放してくれる。

――早く、水の中へ逃げたい。

遙の鼓動《こどう》が大きく跳ねた。体中の血液が急速に流れ出す。こめかみの辺りが熱くなり、手のひらに汗がにじむ。

――逃げていたのか？　おれは……。

水の中へ逃げていたのだろうか。やすらぎを求め、現実の世界から目をそらし、本当の気持ちを隠すために水の中へ逃げていたのだろうか。

一体になるのでも、力ずくで抑え込むのでもなく、お互いの存在を認め合ってきたはずだ。その認め合うということに充足を感じ、依存していただけなのだろうか。そんなことのために、泳いでいたのだろうか。

否定したかった。強く拒《こば》みたかった。しかし、そう思えば思うほど、それは紛《まぎ》れも無い事実として遙に重くのしかかってきた。

どうすればいいのか、わからなくなる。水に依存していたのだと気付いた瞬間、屹立《きつりつ》としていたはずの自分が、崩れ落ちてしまいそうになった。二本の足は、細く、もろく、折れそうになりながら、ようやく遙を支えていた。

――そんなはずはない！

今まで走り、飛び、泳いできた足なのだ。そんなに弱いはずがない。そう思いながらも、微かに震える足を抑えることができないでいた。

真琴を見る。まだ遙に問い掛けていた。

――本当の気持ちは、どうなの？

以前、真琴は水から逃げているのだと、遙に言ったことがある。そうやって自分をさらけ出し、素直に認めてしまえば、少しは楽になれるのだろうか。

生ぬるい春の風が遙を包む。もう、冬の厳しさはなかった。強く吹きつけることも、凍えることもなかった。耐える必要などないのだ。素直になればいいのだ。そう遙にささやいていた。

そんなものに誘惑されたりしない。いつでも、どこでだって自分のままでありたい。強い自分であり続けたい。歯を喰いしばり、自分で立つんだ。ここから逃げ出してはいけない。弱い自分を認めるわけにはいかない。強くあり続けなければならない。どこまでも、自分のままでいなければならない。

真琴の目が、もう一度問い掛けて来る。

――ハルは、どう思う?

答えない。答えられない。凛がどこに行こうが、何になろうが、自分には関係のない話だ。しかし今、目の前にいて、同じチームである事実は変えられない。そして、リレーを泳ぐと決めた自分の気持ちも、変えるつもりはなかった。だから泳ぐ。泳いでやる。決して逃げたりしない。強い自分であり続けるために。

「……いいぜ」

遙の声が、春めいた風に乗って漂う。

「ハル?」

真琴が八の字眉毛を寄せて、不安そうに遙を見ていた。

「今度の大会」

遙は凛に視線を向けて、それだけを言った。その凛が目を見張《みは》り、正面から遙に対峙する。

「いいのか？　リレー一本に絞《しぼ》ってくれるのか？」

クッと口の端から声がもれる。どこまでも喰《く》えない奴だ。まだ補《おぎな》うべき言葉が必要なはずだった。それが心を見透《みす》かしたように解読《かいどく》されてしまい、遙は次の言葉を失くしてしまった。なんでもわかったような顔をしている凛に苛立ちを覚え、ギリッと奥歯を一度噛みしめる。

しかし、もう逃げたりしない。そう決めたのだ。リレーからも凛からも、そして自分自身からも——。だから、今更あと戻りをするつもりはなかった。

「本当にリレーだけ、泳いでくれるのか？」

凛が、つまらない念を押してくる。

「そう言ったつもりだ」

桜に向き直りながら、吐き捨てるように言った。

凛のうれしそうな顔が目の端《はし》に留まり、それがまた遙を苛立たせる。

「よし！　じゃあさ、ハルに見たことのない景色、見せてやるよ」

「見たことのない景色……？」

「ああ、おれたち四人でなきゃ見れない、とびっきりの景色をな！」

知らないうちに、陽が少し角度を変えていた。複雑に張り巡らされた枝の隙間を縫って、遙の顔に強い光が当たる。わずかに目を細めるだけで、凛のように見上げたりはしない。真琴が、迷子になった子供のような顔で遙を見つめていた。真琴の問い掛けには答えたつもりだ。あとは自分で考えるしかない。凛のように強要することも、期待することもしたくなかった。真琴は自分で考え、答えを出し、行動するべきなのである。突き放すわけでも、冷たくするわけでもない。真琴の決めたことであれば、それが一番正しい選択だと思うだけなのだ。

「……ハル」

風に舞う枯葉《かれは》のように、頼りない声で真琴が言う。

「ぼくにも見れるかな。その景色」

凛に訊くべきことである。何を見せたいのか、あるいは自分が何を見ようとしているのか、遙自身にもわからないのだ。

「ぼくも見たいよ、凛。みんなと泳ぎたい」

凛が笑みを浮かべながら、こぶしを真琴の肩に当てる。

「初めて凛って呼んでくれたな。大丈夫さ、おれたちなら、きっと」

真琴が八の字眉毛を上げてうなずく。

どこからか、小鳥のさえずる声が聞こえてきた。その鳥だろうか、よく晴れた空に軌跡《きせき》を描きながら舞い上がって行く。まるで、果てしも無く彼方《かなた》にある、ゴールを目指しているかのように。

「さてと」

凛は、パチンとゴーグルを弾《はじ》きながら、軽い足取りでスタート台に立った。

遙も真琴も渚も、まだ来ていない。最後の授業は午前中で終わり、午後からは卒業式の準備をするグループと大掃除のグループに分かれ、作業が終わり次第、帰宅していいことになっていた。遙と真琴は、卒業式の準備をするグループになっていて、まだ当分掛かりそうだった。渚は、いつも通り午後も授業だろう。

それで、久々に一人で泳ぐ時間ができたというわけだ。

凛は、時計の針を見ながらタイミングを合わせ、スタート台を蹴った。着水からドルフィンキック。そして、ストローク。バタフライではない。クロールである。

ずっと、気になっていたことがある。遙と顔を合わせた大会では、１００ｍで一度も勝てていないのだ。遙は長水路のフリーにしかエントリーして来なかったから、凛と泳がないこともあったが、大抵は50ｍと１００ｍの二種目で競った。50ｍでは勝てることもあったが、どうしても１００ｍでは、勝つことができなかった。

最初に遙と泳いだのは、ちょうど一年前。市の大会で負けるとは思っていなかったので、抜かれた時には、正直言って焦った。そこからは、いくら泳いでも追い着くどころか、離される一方だったのである。

遙の追い上げて来るエネルギーのプレッシャーと、抜かれたあとの焦燥感《しょうそうかん》のおかげで、ゴールをした時には、すっかり体力を消耗させられていた。とにかく、プールに上がるのがやっとで、そのあとは、ゴーグルも外さずに寝転《ねころ》んでしまった。

平泳ぎでも真琴に負けていたが、そんなふうにはならなかった。初めてのことである。あんなプレッシャーも焦燥感も。

泳ぎは完璧だった。実際、いいタイムも出ていた。それなのに負けた。〝なぜだ〟という疑問が頭の中を駆け回るのと同時に、理解できないことへの苛立ちが胸の中で渦巻《うずま》いていた。

――ちくしょ。ハァ。速ぇ。ハァ。誰だ?

大の字になりながら、途切れる息の中で、そんなことをつぶやいていた。

凛のタイムは、大会ごとに伸びている。しかし、遙はそれ以上に伸ばしてきた。凛が前回のタイムに追い着く頃には、遙は更《さら》に先へと進んでいるのだ。このまま永遠に追い着けないのではないかという、不安とも焦りともつかないものが、ずっと胸の中でわだかまっていたのである。心置きなくリレーに集中するためにも、せめて前回の遙に追い着いておきたかった。

ターンは、鋭く、小さく、そして力強く。

丹念にフォームとタイミングをチェックする。問題になるような箇所《かしょ》は、どこにも見当たらない。それでもゴールをしてから時計を見ると、やはり遅れていた。体格や筋力の差でないことは、わかっている。むしろ、スタートとターンは、凛の方が速いのだ。だとすると、あとはローリングか、あるいは〝足のしなり〟。

こいつが一番やっかいだった。理想的な〝足のしなり〟というのが、定義《ていぎ》できないのである。腕のストロークから全身のローリング、そして腰の使い方までの全部がうまく連動して、初めて理想的な〝足のしなり〟に繋がってゆくのだ。だから、足のことだけをいくら考えても決して速く泳ぐことはできないし、明確《めいかく》な答えがあるわけでもない。試して、見つけて、慣れて、ものにするしかないのである。

遙がもし、その理想的な〝足のしなり〟を手に入れているのだとしたら――、そう思うとまた焦りが込み上げてくる。それとも、遙の泳ぎそのものが、凛の求めている理想のフォームなのだろうか。今の遙ではない。以前の遙のことである。

凛は、あれこれと考えながらプールサイドに上がった。

「さてと」

パチンとゴーグルを弾きながらもう一度スタート台に昇り、時計を見た。タイミングを合わせて飛び込む。まだ、三〇回ぐらいはできそうだった。体力が持てばの話だが。

練習が終わったあと、岩鳶ＳＣを出たところで、江《ごう》が大きな紙袋を持って立っていた。凛の妹である。

「江……！」

「あ、お兄ちゃん」

屈託《くったく》の無い笑顔を向けてくる。一つ下の五年生だ。自動ドアの開く音に振り向くと、遙たちも出て来るところだった。渚が江に気付き、いつもの調子で好奇心をむき出しにして来る。

「ねぇ、だれ？　リンちゃんの友だち？」

凛が答えるより先に、江が噴き出す。

「お兄ちゃん、こっちでも〝リンちゃん〟なんだ」

「な、何言ってんだよ。てか、なんでここにいるんだよ！」

江は凛の問いに答えず、遙たちにペコリと頭を下げた。

「松岡《まつおか》江です。兄がいつもお世話になっています」

遙が真琴に目を向ける。〝あとは任せた〟ということだ。

「こんにちは。ぼくは、橘真琴。こっちが葉月渚で、こっちが七瀬遙」

渚が〝よろしく〟と笑顔を向け、遙がぎこちなく会釈する。

「あ、聞いてます。あさってのリレー、一緒に泳ぐんですよね。聞いてますよ。〝七瀬速ぇ、七瀬速ぇ〟って、大会のあととか、いつも言ってましたから」

「お、おい、江！　よけいなこと言うな！」

恥ずかしくて、遙に顔を見せられなくなってしまった。

「でも、よかったね。一緒に泳いでもらえて。ばあちゃん家に住民票まで移して、こっちに来た甲斐《かい》があったじゃない。お母さん、心配してたんだから。急に一人で転校するなんて言い出すんだもん」

「もういいから、おまえ、しゃべんな！」

これ以上、よけいな事を言い出す前に、さっさと追い払ってしまおうとした時、お節介な真琴が江に訊いた。

「なにか用があって来たんでしょ？」

「うん。これ、持って来たの」

江の差し出す紙袋の中身をちらりと見た。それがクッキーの缶であるとわかり、凛が焦る。

「バカ、こんなとこに、持ってくんなよ！」

みんなに見られないよう、凛は体で隠した。

「だって、ここで使うんでしょ？」

「そうだけど、ばあちゃん家に持って来てくれって、母さんに頼んだんだぞ。おまえが来るなんて聞いてないし」

「でも、お母さん、どうせここで使うんだから、持って行ってやれって——」

「今、そんなの持って来ても、しようがないだろ。日曜日に、おれが持って来るから」

「でも、荷物になるからって——」

「いいんだよ。荷物でもなんでも。とにかく、ばあちゃん家に持って帰れ！」

「ねぇ、なに？　それ」

振り向くと、渚がクリクリとした目をキラキラさせて、覗き込もうとしていた。

「なんでもない。おまえには、関係ないの！」

渚を押し返す。

「日曜日って、大会の日でしょ。試合に使うの？」

意外と、こういうところは鋭い。

「使わないし、関係ない」

「じゃあ、試合のあと？　記念撮影《さつえい》の時？」

「ちがうし、関係ないんだって！」

「撮影のあと？　……あ、わかった！」

「な、なにが？」

「なにか、食べるもんでしょ？　大会のあと、〝がんばった会〟やるんだ。なんだろう。三日も前ってことは、おせんべいかクッキーかな？」

ドキリとした。当たってはいないが、微妙《びみょう》にかすっている。

「お兄ちゃん、〝がんばった会〟なんてやるの？　あたしも来ていい？」

「やらない！　てか、どっちにしろ、おまえ今日帰んなきゃだめだろ」

「日曜日まで、お母さんとばあちゃん家にいるよ」

「学校は？」

「佐野小も明日、卒業式だもん。五年生は、半分だけしか出ないから、あたしはお休み。だから お母さんと卒業式、見に行くからね。あと、大会もね」

「いいよ。見に来なくても」

「月曜日は、学校があるから、お見送りには――」

「先に帰るぞ」

遙が言って走り出す。

真琴も江に軽く手をあげて走り出した。

「じゃ」

渚も江に手を振ってから、あとを追う。

「またね」

やれやれと思いながら江に背を向け、凛も遙たちを追った。三人に合流して、漁港を抜けようとしたところで、後ろから江が大声で叫んできた。

「お兄ちゃーん。今晩、〝す・き・や・き〟だよー」

真琴がプッと噴き出し、渚が〝いいなぁ〟と、うらやましがる。凛はうつむいたままスピードを落とし、三歩分だけ下がった。

もう、誰とも話したくなかった。身内とは、かくも恥ずかしいものであると、痛切《つうせつ》に思い知らされた凛なのであった。

遙は、戸惑《とまど》っていた。卒業式というのは、もっとあっさり終わるものだと思っていたのだ。何度も練習してきた通り淡々と進み、証書《しょうしょ》をもらって儀式《ぎしき》を消化していくだけなのだと。それなのに、まさか何十人もの人が泣くのを目の当たりにして、戸惑うことになるとは思いもよらなかった。しかも、最初にその堰《せき》を切ったのが凛なのである。たった二ケ月しかいない奴がどうして泣けるのか、何がそんなに感情を揺さぶるのか、遙にはまったく理解できなかった。声を上げて泣く凛に共鳴《きょうめい》するようにして、次々とみんなが泣き始めると、遙は完全に取り残される形になってしまい、ただ黙って傍観《ぼうかん》しているしかなかった。

その中にいて、真琴が涙を見せなかったのも意外だった。別に涙もろいわけではないし、感情を抑制《よくせい》できないタイプでもなかったが、クラスのほとんどが泣いているというのに、平然としている真琴が不自然に思えてならなかった。

涙の卒業式は、教室に戻っても止むことはなく、桜の木と花壇に別れを告げるまで延々と続いた。

睦月橋の上は、今日も風が吹いているのだろうか。もう、厳しい寒さを含んでいないだろうけど。小鼓山は、また背が伸びているのだろうか。青い空に映《は》えて、鮮やかに稜線《りょうせん》を浮かび上がらせながら。

真琴と並んで走りながら、そんなことを考えているうちに、いつの間にか汗がにじみ出ていた。今日の気温は、初夏を思わせるほどに上がっている。

橋のたもとに、足踏みをする渚が見えてきた。そして後ろから近付いてくる足音。振り向かなくても凛であることはわかっている。

凛は決して後ろから声を掛けたりして来ない。必ず横に並ぶまでは黙っている。不意を突かれたり、馴れ馴れしくされるのを遥が嫌っているのだと、勝手に思い込んでいるらしい。

「よう」

息を切らせて、凛が笑顔を見せる。遥は、ちらりと視線を送って、聞こえていることだけを凛に伝えた。

「やっほー」

渚が手を振りながら駆け寄って来た。

「ねえハルちゃん。今日、泣いた？」

卒業式は、午前中で終わった。だから午後は、クラブで練習をすることにしたのである。渚には、真琴が伝えていた。

「泣かない」

「ほんと？　卒業式なのに？」

卒業式だからといって、泣かなければならないという渚の発想がおかしくて、口元が緩《ゆる》みそうになる。

「泣いたのは、リンちゃんだよ」

「ちょっと待てよ。おれだけじゃないぜ。クラスのほとんどが泣いてたんだからな。泣かないハルと真琴のほうが、どうかしてんだよ。それから〝リンちゃん〟は、やめろって。〝リーダ〟って呼べよ、ハル」

面倒《めんどう》くさい奴だと思う。あれだけ号泣しておいて、今更《いまさら》言い訳もないだろう。

「はいはい、リーダ」

凛が、遙をにらみつける。

「……やっぱ、ハルに言われると、なんかムカつく。凛でいいや」

つまらない会話をしながら橋に差し掛かる。風は吹いていたけど山からではなく、潮の香りを含んでいた。その風に乗って、アジサシが穏やかな空を舞っている。

渚が、真琴に寄り添って走る。

「ねえ、マコちゃんも泣かなかったの？」

「うん。凛が大声で泣き出したから、びっくりしちゃって、なんか気持ちが引いちゃった」

「えー、ほんとに泣かなかったの？　でもさ、リンちゃん、何で泣いたの？　この前来たばっかりなのに。ひょっとして、オーストラリアに行っちゃうから？」

凛が、柄にもなく照れながら答える。

「なんかさ、おれ、そういう雰囲気に弱いんだよ。一緒にいた時間は短かったけど、いいクラスだったしな。て、おまえ、おれがオーストラリアに行くって、どうして知ってんだ？」

「きのう、マコちゃんに聞いた。でも、リンちゃんって、泣き虫なんだね」

凛が何かを言おうとして息を呑んだ時、遙がわずかにスピードを上げた。

「しゃべってると、置いて行くぞ」

遙に合わせて、他の三人もペースを上げて行く。いつのまにか、渚が遅れなくなっていた。規則正しいリズムで呼吸をしながら、軽い足取りで着いて来る。急に筋力がついたわけでも、背が伸びたわけでもない。速く走るために必要な条件を、少しクリアしただけなのである。たぶん、自分でも気が付いていないだろうけど。

アジサシが遙たちを追い越し、海に帰って行く。飛び方なんて教わらなくとも、飛ぶための条件を生まれ持っていれば、ただそれだけで飛べるのだろうか。遙のそんな思いは、アジサシと一緒に青い空へ溶け込んでいった。

真琴は、壁を強く蹴るのと同時にグリップを突き放した。グンッと伸び上るのも束の間、すぐに水中へと景色が変わる。バタ足は、十分に浮力が得られるよう、ダウンキックを意識する。

アップキックは、軽く蹴り上げるように。

ストロークを開始しながら水面に浮上。息継ぎの必要は無かったが、リカバリーのタイミングで息を吸う。呼吸のリズムが乱れれば、たちまちフォームの乱れに繋がってしまう。

実戦で背泳ぎを泳いだことは無い。だから、大会の直前だというのに、緊張感がまるで無かった。どの程度泳げれば通用するのかも、今がどの程度なのかも、まるでわからなかった。何もわからなければ、不安も無い。不安が無ければ、緊張のしようが無い。ただ、高揚する気持ちがあるだけだった。

卒業式の時、みんなが泣いているのに一緒に泣かなかったのは、泣けなかったからである。式が始まるまでは、きっと泣いてしまうだろうと思っていた。しかし、式の間も終わってからも、実感がまるで湧いて来なかったのだ。

——まだ、終わっていない。

その気持ちが、他の感情を抑制していた。

まだ終わっていないのである。最高のレースがまだ待っている。このメンバーで泳ぐ、最後にして最高のレースが、まだ待っているのだ。終わってもいないのに、泣けるはずがない。高揚した気持ちのまま、泣けるはずがない。不安も期待も何も無い。今あるのは、昂《たかぶ》るほどの熱い想いだけだった。

真琴の手がグッと伸びて壁に触れ、渚が飛び込んで行く。

渚は、深く潜りすぎたかと思い、急いで軌道を修正した。一掻きと、一蹴り。タイムは伸びていた。その実感もある。足の裏で、水の塊を蹴る感じもつかめるようになっていた。ガツンとした抵抗が、足の裏から伝わってくる。

しかし、六年生に交じって競い合えるのかと訊かれれば、正直、まだ自信が持てなかった。飛び込みにしてもそうだ。うまくいったと思える時もあれば、今のように、そうでない時もある。みんなと泳げることがうれしいと思う反面、自分が足手まといになっているのではないかと心配になることもあった。不安ばかりが先に立ち、胸が苦しくなってくる。

――だから、速く泳ぎたいんだ。

その思いが強くなると、決まって体が軽くなった。足の裏に伝わる抵抗が大きくなり、グンッと伸びる。同時に、推進力の抵抗も大きくなり、壁のように押し返してくる。

渚は、その壁の向こうへと意識を向けながら、突き破るようにして両手を伸ばした。

凛がスタート台を蹴った。理想的な角度で着水する。ドルフィンキックから腕を大きく広げ、バタフライを開始。

結局、昨日は〝理想的な足のしなり〟に至ることなく、クロールの練習を終えていた。遙のタイムを抜くことができなかったのである。何か根本的なものが欠落しているような気がして、二十本を泳いだところであきらめてしまった。体力的にも限界だったし、時間的にも他のメンバーが来る頃になっていたが、それ以上に、いくら泳いでも同じだと思ったのだ。

根本的なものとは、つまり理想のイメージである。イメージも描けず、ただがむしゃらにタイムだけを目指したところで、速くなれるはずがないのだ。そして凛の描く理想のイメージとは、遙のことである。しかし、今の遙では、とうてい理想などになり得なかった。

練習をメドレーリレーに絞ってから二週間が過ぎようとしていた。それなのに、なかなかチームの成果が上がってこない。まったくタイムが伸びないのである。いや、伸びないどころか落ちていた。原因は遙にあった。以前のように、優雅な泳ぎをしなくなっていたのだ。

フォームのひとつひとつを取ってみれば、問題になるような箇所は見当たらないのだが、ストロークにしても、キックにしても、推進力としてまったく機能していなかった。ぎこちないリズムを刻みながら、ただ泳ぎ続けているだけだったのだ。

凛はそのことについて、何も言おうとしなかった。というより、アドバイスのしようがなかったのである。大空に翼を広げて滑空《かっくう》する水鳥のように、水の抵抗すら感じさせずに泳ぐ。そんな泳ぎ方など、凛の専門範囲から大きく外れていた。

その遙が、今は別人のように水の中であがいていた。まとわりつく水を払いのけ、力ずくで前に進もうとしている。真琴の力強さとも異なり、ただがむしゃらにゴールを目指していた。水を拒み、嫌っているようにさえ見えた。何か意図があるのか、それともケガでもしているのか、あるいは本当に泳ぎ方を忘れてしまったのか。いずれにしても、今までの遙とは似ても似つかない泳ぎ方になっていた。

理想のイメージを見失った今、凛はどこにたどり着けばいいのか、それさえわからなくなっていた。遙が今のままである以上、理想を追い求めることなどできないのである。だからといって、それをどうしてかと、遙に訊くつもりもなかった。訊いてどうなるものでもないだろうし、たとえこのままどうにもならなくても、それで構わないと思っていた。同じチームで泳ぐと決めた気持ちに、何も変わりはないのである。

しかし遙は、いつかきっと、この状況から抜け出すことになる。それが、いつになるのかはわからない。大会に間に合うのか、それともずっと先になるのか……。いずれにしても必ず抜け出し、間違いなく速くなる。速くならなければ、悩み、苦しんだ意味がないのだ。

ただ、そうやって遙が、また凛の先に行くのかと思うと、やはり遣《や》り切れない気持ちにもなる。近づいたと思っても、また離されてしまうのだ。いつまでたっても届かない。いつまでたっても自分の前を泳ぎ続けている。

――なんで、あいつばっかり……。

凛は歯を喰いしばり、強く水を叩きながら１００ｍを泳ぎ切った。

遙が跳ぶ。跳んだ瞬間、だめだと思った。着水。そして、リズムをつかめないままストロークを開始。体に力が入る。固くなる。それでは、まともに泳げないとわかっているのに、もう、どうしようもなかった。この泳ぎ方しか、できなくなっていた。

今は、しかたがないと自分に言い聞かせ、無理やり納得させる。あきらめさせる。妥協《だきょう》させる。

今は、これでいいのだと、自分を偽《いつわ》る。あざむく。だまし続ける。

どうしようもない焦燥感と自己嫌悪に苛《さいな》まれながら、それでも遙は泳ぎ続けた。

つい二週間ほど前までは、タイムなど気にもしていなかった。そして、タイムを気にするようになってから、遙にとっての水は、ただの水になってしまった。物理的に存在し、浮力を得る対象となり、推進《すいしん》の妨《さまた》げとなる障害でしかなくなっていた。そして、教科書どおりにローリングをし、ストロークを繰り返して行く。物質としての水と基本的な泳ぎ。遙と水の関係は、ただそれだけのものになっていた。

遙が四人目の泳者としてゴールにタッチし、水面から顔を上げてタイムを確認する。いつもと変わらぬ平凡な数字が、無機質《むきしつ》に並んでいた。軽く噛みしめた奥歯《おくば》の隙間から、小さな音がもれる。

ゴーグルを外した遙に、亜紀が手を差し延べてきた。

「お疲れさん」

真琴の口調を真似ているのだろうか、少し喉を押しつぶしたような声で言う。

「サンキュ」

亜紀の手につかまり、プールサイドへ上がった。握る手の大きさも、引き上げる力も真琴とは異なっていた。キャップを外して頭を振り、耳から水を出しながら訊いた。

「どう？　そっちは」

「うん、順調にタイム、上がってる」

「そうか、がんばってんだな」

たいして関心も無かったが、何も言わずに手を振って去るには気が引けた。それだけのことである。だからといって、社交辞令のように、自分たちのことを報告するつもりもない。

「卒業したのにまた会ってるなんて、なんか変な感じだよね」

亜紀が、屈託《くったく》のない笑顔を見せる。

「四月になれば、ほとんどみんな同じ中学だぜ」

「うん、そうなんだけど。でも、あんなに泣いてさよならして、あっさりまた会うなんて、なんかちょっと照れくさいよ」

亜紀らしいと思う。遙にとって卒業式はただの儀式でしかなく、他に特別な意味など何もなかった。遙と亜紀に大きく異なるものがあるとするなら、それは仲間に対する意識の持ち方だろう。亜紀だけではない。他の誰とも遙は異なっていた。そのことを卒業式の時に、嫌というほど見せ付けられ、戸惑うことになってしまったのである。

「いいクラスだったからな」

亜紀を突き放す気にはなれず、凛の言葉を真似てみる。

「うん。ほんと、いいクラスだったね。もう、あのメンバーで、泣いたり笑ったりできないんだよね」

〝メンバー〟というキーワードが遙の耳の中で転がる。他の言葉たちのように、すんなりと通り過ぎて行かない。

「そうだな」

短い言葉で、話しを終わらせようと思った。ベンチで休憩する凛をちらりと見る。真琴と何か話をしていた。まだ練習を再開しそうにない。しかたなく遙は、自分から言うつもりで体の向きを変えようとした。

「七瀬君」

右足のつま先を少しだけ動かした時、亜紀が遙を呼び止めた。視線を向けると、照れくさそうにしている亜紀がいた。

「私、七瀬君にリレー泳いだ方がいいなんて言って、何か、その、ごめんなさい」

そう言って、ペコリと頭を下げた。何をあやまることがあるのだろう。頭を下げる亜紀を見つめていても、答えは見つからなかった。

「なんで？」

そう訊くしかなかった。あるいは、〝別にいいよ〟と、わかったふりをした方が良かったのだろうか。

　亜紀が顔を上げる。

「私ね、七瀬君には、お互いに頼ったり頼られたり、泣いたり笑ったりするような仲間が必要なんだって、勝手に思い込んでたの。仲間って、そういうもんなんだって、ずっと思ってたの。だけどそんなの、私の勝手な思い込みだって気付いたんだ。七瀬君には七瀬君の思いがあるんだし、チームとか仲間って、いろんな形があるのにね。ほんと、余計なお節介って感じ。七瀬君たち、みんなすっごく真剣で、みんなまっすぐに水泳を見ていて、そんな七瀬君たち見てたら、なんだか自分が恥ずかしくなってきて……。ああ、なんであんなこと言ったんだろ。そういうの、ぜんぜんわかってなかったなって。……でもね、同じだと思うの。私たちの気持ちも、七瀬君たちの気持ちも、同じだと思いたいの。チームのみんなで同じ目標に向かう難しさや苦しさがあって、そういうのを乗り越えなきゃって焦りや悩みみたいなのもあって……。だからね、一生懸命な七瀬君たちを見てると、私もがんばらなきゃって力が湧いてくるの。ほんと、いつも勇気付けられてるんだ」

　亜紀が、そっと視線をプールに落とす。

　遙は、何か言った方がいいのだろうかと思ったが、何を言えばいいのかわからず、ただ伏目がちな亜紀をじっと見ているしかなかった。亜紀の言葉が、断片的《だんぺんてき》に頭の中で飛び交う。どれも耳をすんなりと通り抜けて行かない。そして、どれもすんなりと受け入れることができなかった。

リレーにどんな意味があるのかなんて知らない。その先に何が待っているのかも、今はまだわからない。わからないからメンバーになることを承諾した。そして、泳いでいる。それだけだった。別に誰かを勇気付けるために泳いでいるわけではない。

遙の沈黙を、亜紀はどう受け取ったのだろうか。プールに視線を向けたまま、微かに笑みを浮かべていた。その口が小さく開く。

「私ね、今、泳いでいることが、すごく楽しいの」

亜紀が視線を上げ、遙の目を覗き込む。瞳の奥にある、本当の遙を探ろうとするように。

——七瀬君は、どう思うの？

あの時、桜の下で真琴に尋ねられたのと同じことを亜紀が投げ掛けてくる。よくわからないと答えようとして、喉の奥で言葉が詰まった。そして意味の無い言葉が、代わりに口を突いて出てくる。

「そうか、お互いがんばろうぜ」

「うん」

軽く手を上げて、亜紀に背を向けた。亜紀の笑顔が視界から消え、〝楽しい〟という言葉だけが耳に残った。泳いでいて、〝楽しい〟と思ったことは、——たぶん無い。リレーの先に、そんなものが待っているのだろうか。

凛たちの座るベンチに歩いて行く。今日はどれぐらい泳いだのだろうかと、背中で息をする渚を見て思った。渚はどうなんだろう。亜紀のように、水泳を楽しんでいるのだろうか。凛は、どうなんだろう。真琴は……。

日が少し傾《かたむ》いたせいで、明り取りの窓から光が差し込み、プールの中に四角い陽だまりを作っている。波紋に乱反射する光を見ながら、遙は明日が大会の日であることをぼんやりと思い出していた。

朝からよく晴れた日だった。ここへ来るのは何度目になるのだろうかと、遙は青い空を見上げながら考えていた。日和《ひより》水泳競技場は県の中でも特に大きな会場で、競技大会は大抵ここで行われていた。この会場に来る時は、いつも晴れているような気がする。別に晴れていてもいなくても、屋内プールだから関係ないけど、晴れていた方がいいと思っていた。

「今日もさ、いい天気だよね」

相変わらず、真琴の声は明るい。晴れている日は、特にそう思う。

「うわー、おっきいね」

この会場に初めて来た渚が、目を丸くして見上げている。

そして、口数の極端《きょくたん》に少ない凛。緊張でもしているのだろうか。柄でもないけど。

受付で凛が四人の名前を書くと、係りの人が女子のリストを出してきて照合《しょうごう》を始めた。凛が何か言うかと思っていたけど、黙ってその作業を見ているだけだった。リストの最後まで探しても名前が無いので、係りの人が不審《ふしん》そうに顔を上げ、何かを言い掛ける。しかし、凛たちの顔を見て納得したような素振りを見せ、男子のリストを探し始めた。

ロッカールームに続く廊下を歩きながら、渚はこらえていた笑いを一気に噴き出した。

「ねえ、見た。今の人、女子のリストなんか出しちゃってさ。誰の名前を女の子だと思ったのかな。やっぱりリンちゃんかな」

「ちがうよ。全員だよ」

「全員って、ぼくも？」

「そう。おまえも」

「えー。だってぼく、〝渚〟なんて名前の女の子なんか知らないよ。リンリンだったら、この前、動物園で見たよ。メスだってさ」

遙はなんとかこらえたが、真琴は背中を丸めて笑っていた。その真琴を横目で見ながら、不機嫌そうに凛が言う。

「気を抜いてると、負けちまうぞ。もうちょっと、引き締めてけよ」

「はーい」

わかっているのか、いないのか。とりあえず、凛の緊張感だけは伝わったであろう渚の返事が、そんな感じだった。

更衣室に入ると、ロッカーの開閉《かいへい》する音があちこちから聞こえてきた。既に、かなりの人数が集まっている。凛が手近なロッカーを開けると、あとの三人もその周辺に空いているロッカーを探して扉を開けた。

「凛」

ふいに名前を呼ばれて振り向くと、プールに向かう途中の何人かが凛を見ていた。思わず凛のほほが緩む。以前、所属していた佐野ＳＣのメンバーだ。

「よお、久し振り」

軽く手を上げて応えると、その中の一人が親しげな笑顔で近付いて来た。山崎宗介《やまざきそうすけ》である。相変わらず、ヒョロリと背が高い。

「元気そうだな」

「まあね。そっちはどう？」

「相変わらず、かな。それより、おやじさんとは会えたのか？」

その問い掛けに、凛が戸惑う。

「ああ、まあ」

遙たちを意識しながら、あいまいな返事をした。

「そうか。じゃ、またあとでな」

凛の様子に事情を察したらしく、宗介はさっさと話を切り上げて、ロッカールームを出て行った。そして、妙な沈黙だけが残った。

誰も何もしゃべらず、黙々と着替えていた。先に着替え終わった渚が、凛を真似てゴーグルのゴムをパチンと鳴らす。

「一番だよ」

いつものように、屈託の無い声で言うと、淀んだ空気は、霧が晴れるように消えてしまった。

「じゃあ、ぼくは二番だ」

真琴がロッカーを閉めながら言い、渚と顔を見合わせて笑った。

渚が凛に訊いてきた。

「ねえ、今日は何回泳ぐの？」

「一回だよ」

「じゃあ、明日は？」

「今日のレースで全体の十六位以内に入ればの話だけど、準決勝を泳いで、それで全体の八位以内なら決勝だ」

「じゃあ、三回勝てばいいんだね」

「そうだな。まあ、とりあえず今日は、グループ内で四位以上を目指しとけばいいよ」

言ってから、弱気な発言だったかと思う。やはり、チームの調子が上がっていないことを心のどこかで気にしているのかもしれない。遙を見る。凛に背を向けたまま、ロッカーの扉を閉めようとしていた。遙にも聞こえていたはずだ。遙も凛のことを弱気だと思っただろうか。そして、弱気にさせている原因が自分にあるのだと思っただろうか。

気にするなと言いたかったけど、どんなふうに言えばいいのかわからず、凛は遙の背中をじっと見ているだけだった。

プールでは、年代順にそれぞれの競技が行われていた。どの競技も女子が先で、そのあとに男子のレースがある。そして今、女子のメドレーリレーが大きな歓声の中で行われていた。

亜紀が、アンカーとしてスタート台の上に立つ。予選は、どのレースも接戦に継ぐ接戦となり、亜紀たちの泳ぐレースも息を呑むような激しい展開を繰り広げていた。

亜紀の足がスタート台を蹴るのと同時に、隣の選手もスタートを切った。着水。そして同時に頭が上がる。まるでシンクロするように、クロールの腕が、足が揃う。そして、そのすぐ後ろからもう一人、凄まじい勢いで追い上げて来る選手がいた。ゴール間際《まぎわ》で追い着かれそうになったが、なんとか逃げ切り、ほとんど同着の二位で予選を通過することができた。あと５ｍあれば、確実に抜かれていただろう。そう思うと、亜紀の背筋を冷たいものが走った。

亜紀たち四人は、誰も何もしゃべらず、ロッカールームに向かって歩き始めた。

通路で、スタート位置に向かう男子たちの列とすれ違う。

「おめでとう、ザキちゃん」

真琴が、手のひらをかざしていた。

「ありがとう。橘君もがんばって」

真琴の手に亜紀が手を当て、小さくパチンと音を立てながらすれ違って行く。

結果は二位だったが、余裕などまったく無かった。他の三人にも笑顔は無い。あれほど練習を重ね、タイムを上げてきたのに、その成果を十分に発揮することができなかったのだ。その思いが、四人の気持ちを重くしていた。緊張していたのだろうか。力んでしまったのだろうか。フォームが崩れていたのだろうか。原因がわからず、不安になる。明日もまた今日と同じなら、間違いなく敗退してしまうだろう。そう思うと、どうしようもなく不安になった。

しかし、どれだけ不安になっても、たとえ原因がわからなくとも、明日やることはひとつしかなかった。練習通りに泳ぐこと。そして、それができれば、必ず勝てると信じること。

亜紀は大きく息を吸い込み、努めて明るい声を出した。

「みんな、お疲れさま。明日もがんばろうね」

亜紀の言葉で、チームに笑顔が戻った。

「うん、そうだね」

「そうそう、明日だよね」

「よし、明日は優勝するぞ！」

「絶対できるよ。あれだけ練習したんだもん。がんばろうよ」

みんなの笑顔で、亜紀の心に本当の笑顔が戻って来た。空元気でも、強がりでも、何でもいいのだ。チームの誰かが明るい気持ちでいれば、みんなが元気になれる。そして、みんなの元気が、自分に本当の笑顔を与えてくれる。それがチームだ。チームの強さなのだ。その強さがあれば、たとえ明日勝てなくても、泣いてしまっても、このチームで良かったと思うことができるだろう。それだけは揺るぎない自信として、亜紀たちの胸の中にあった。

亜紀は、新たなエネルギーが満ちてくるのを感じながら、明日に向かって歩き始めた。


凛は、スタート台の前で軽く体をほぐしながら、前に真琴と渚がいることを確認し、後ろに遙がいることを背中に感じていた。特に声を掛けるわけでもないが、このメンバーで今から泳ぐのだということを強く意識しておきたかったのだ。

メドレーリレーは長水路で行われ、一人１００ｍずつ、合計４００ｍを泳ぐことになっている。第一泳者は真琴、二番手は渚、三番手が凛、そしてアンカーは遙。第一レーンからクラブ名をコールされ、呼ばれたチームの第一泳者が手を上げてスタート台の横に立つ。第一泳者は背泳ぎなので、水中からのスタートになる。

短いホイッスルが四回鳴ったあと、長いホイッスルで真琴が水の中に入る。次の長いホイッスルでグリップを持ち、壁に足の裏を押し付ける。

『Take your marks!』

グイッと体を引き寄せる。一瞬の静寂。そして、短いブザー音――。

一斉に後ろへ跳ねた。着水して、蹴伸びの姿勢から足を始動《しどう》させる。ストロークに入りながら、水面へ浮上。真琴の頭が、一番前に上がった。力強いストロークで大きな飛沫を上げる姿が、海洋性の生物を思わせる。

凛は、真琴の泳ぎに、以前とは異なるものを感じていた。クロールだとか背泳ぎだとかではなく、水泳の基本的な部分が変化しているように思うのだ。水を押しのけて、グイグイ進むスタイルは変わらないが、がむしゃらな力まかせではなくなっていた。どこか、迫力のある凄みとでもいうのだろうか、それこそシャチかクジラのような重量感《じゅうりょうかん》を持ちながら、伸び伸びと泳いでいるように見えた。そして、間違いなく速くなっていた。真琴は、海の生き物に進化しようとしているのかもしれない。そんなことを思いながら、凛は真琴の泳ぎを見つめていた。

トップのまま真琴が壁にタッチすると、渚の両足がスタート台を跳ねた。高く跳び過ぎである。高く跳んだ分だけ深く沈むことになり、浮上するのに時間が掛かってしまう。平泳ぎではスタートで姿勢を崩してしまうと、微調整《びちょうせい》をするのが難しくなる。飛び込みのあとに水中で許されている動作は、一掻きと一蹴りだけなのである。

ようやく浮上してきた渚は、二位に順位を落としていた。佐野SCとは、体半分の差である。

――気にするな、渚。いつもそんなもんだぜ。おまえの持ち味は後半の追い上げだろ。

胸の中でつぶやきながら、凛はスタート台に立った。

凛の隣に宗介が立つ。佐野SCにいた頃は代表を争《あらそ》った仲であり、かつて確かに友と呼べる間柄であった。オーストラリアに行きたいと言った時も、岩鳶SCで泳ぎたいと言った時も、半ばあきれながら『わかったよ』と言っただけで、中途半端に引き止めたり、問い詰めるようなことはしなかった。宗介は、最後まで凛のよき理解者であり続けてくれたのである。『じゃあな』『おう』。これが最後の会話だった。

そして今、その宗介が宿敵として隣のレーンに立っている。

「さっきは、悪かったな」

宗介が目線を前に向けたまま凛に言う。不用意な話をしたと、率直にわびているのである。

「いいよ、別に」

凛が短い言葉を返す。大したことではないのだと言っている。

たったそれだけの会話を交わすだけで、二人は数ヶ月前に戻ることができた。そして、絶対に負けられない相手であることを、互いに再認識することができた。

凛が、クラウチングスタートの姿勢を取る。一ヶ月ほど前から、このスタイルを試みている。特にタイムが上がるわけでもないし、理論的に有利であると証明できるわけでもなかった。自分のフォームを探し求める過程で、模索の中に行き当たった試みのひとつに過ぎない。ただ、可能性を感じていた。それが理由のすべてである。

渚は、結局、差を詰めることができず、二位のまま壁面にタッチした。

宗介がスタートを切り、凛の足が跳ねる。スタートは、キック力だけの勝負ではない。その力をいかに推進力として活かせるかが、本当の勝負なのである。凛は、着水の角度と水中姿勢を意識しながら水面に飛沫を上げた。

宗介が凛の少し前を行く。ドルフィンをしながら、その宗介に並ぶ。他の選手は、完全に置いて来た。ここからは、宗介と二人だけの勝負になる。浮上しながら、バタフライのストロークを開始する。この時点で、わずかに凛がリード。

しかし、ここから宗介が本領を発揮してくるのだ。このまま差を広げられるようなら、凛が宿敵などと認めたりしない。体付きはヒョロリとしているが、長いリーチと人よりも大きな手のひらを最大限に活かし、グイグイと凛を追い詰めて来る。

ほとんど同時にターン。また、凛が前に出る。そして、宗介が追い上げて来る。

――焦っては、だめだ。肩に力を入れては、いけない。全身のしなりを足に伝えるんだ。太ももで泳ぐイメージを意識しながら、しなやかに水の中を切り進む。

あとわずかで並ばれるかというところで、辛うじて逃げ切り、凛は遙に繋ぐことができた。

遙が凛の頭上を飛び越えて行く。角度も着水ポイントも悪くない。しかし……。

着水するなり、差を広げられ始めた。

凛は、遙の時間だけが止まったのではないかと思った。体が前に進んで行かないのである。トップとの差は開く一方で、三位の選手にも並び掛けられてしまった。このまま遙の手足が動かなくなり、溺《おぼ》れてしまうのではないかと思った。亜紀のマフラーを拾おうとした、あの日のように……。

ターンのあと、三位にまで後退し、とうとう四位の選手にも並ばれ始めたが、それでも遙は基本的な動きを繰り返すだけだった。

遙の手が、ようやくゴールに届いたのは、四位に後退してからだった。たった100mを泳いだだけとは思えないほど、肩を大きく上下させながら息を荒くしている。

真琴の差し出す手にもつかまらず、プールサイドに上がると、ゴーグルとキャップをはぎ取り、ロッカールームに向かって歩き出した。途中、亜紀とすれ違ったが、目もくれなかった。みんなが遙を黙って見送る。今の遙に掛ける言葉など、誰も知らなかった。黙って見送るより、他に無かったのである。

やがて、遙の姿はロッカールームに消えて行った。


朝日が、明神山の端からようやく昇り始めようとしていた頃、凛は墓の前にいた。潮《しお》を含んだ冷たい空気が、ほほをかすめるように流れていく。岸壁に波が打ち寄せ、静かな音を立てて砕けていた。白み始めた空には、薄く紫の雲がたなびき、クレパスで描いたような筋状の模様をいくつも作っていた。

墓は、海に向かってどっかりと座っていた。堂々としたその佇まいは、一遍《いっぺん》の悔《く》いるところも無く、凛として胸を張っているように見えた。重厚な威厳《いげん》めいたものを感じさせながら、悠然と海を見下ろしている。

その墓の前に、凛が立っていた。まだ暗いうちから、ずっとそこで墓と向き合っていたのだ。明るさを取り戻しつつある空が、明神山の稜線を浮かび上がらせていく。

「今日で終わりだよ。別れを言いに来たぜ。おれ、夢、追い掛けてみることにしたよ。どこまで行けるか、わかんないけど、行けるとこまで行こうと思ってる。だから、ここには、もう当分来れない。許してくれよな。でもさ、こっちに来て、やっぱりよかったよ。あいつらと会えて、よかった。本気で夢、追い掛ける気になれたからね。……どこに行ったって絶対に忘れないよ。あいつらのことだけは、絶対にね。おれ……おれさ、今日だけは勝ちたいんだ。今日だけは、最高の泳ぎをしたいんだ。あいつらと本当のチームになりたいんだ。だからさ、今日、ちゃんと話すよ。何もかも、ありのまま全部……。だからさ、見ててくれよな――」

こぶしを作り、軽く墓石に当ててみる。冷やりとした感触が伝わってきた。

「おやじ」

海から吹いて来る風が、凛にまとわりついては消えていく。

「……おやじ」

もう一度つぶやいてみる。

潮が満ちて来たのだろうか。岩に当たる波の音が、ウミネコの鳴き声を打ち消しながら砕けた。強い光を感じて見上げると、明神山から顔を出した太陽が、大地と海を分け隔てなく照らし始めていた。

凛は、潮を含んだ空気を大きく吸い込み、胸いっぱいに溜めた。そして、墓に向き直る。

「じゃあな、行ってくるぜ」

軽く笑顔を見せて、凛は決戦の場へと走り出した。

「ねえねえ、準決勝って、何位になればいいの？」

ロッカールームで着替えながら、渚がいつもの調子で真琴に訊いていた。

「全体の八位以内で、決勝に行けるよ」

ゴーグルの長さを調節しながら、真琴が答える。

「一位だよ。八位なんて甘いこと言ってると、負けちまうぜ！」

凛が語尾に力を入れながら渚の背中を叩くと、乾いたいい音がロッカールーム中に響き渡った。

「いったい！　何すんの、リンちゃん」

ロッカーの向こう側で、どっと笑い声が起こり、宗介が顔を覗《のぞ》かせる。

「なんだよ、凛。おまえ、そっちでもリンちゃんって呼ばれてんだ」

そう言って、もう一度笑った。笑われた凛が、あわてて否定する。

「ち、ちがうよ、こいつだけだよ。こっちじゃ、みんなおれのこと、リーダって呼ぶんだぜ」

今度は、真琴が背中を丸めて笑いながら言う。

「そうだっけ？　リンリン」

またロッカーの向こうで、笑い声が上がった。凛が真琴に向き直る。

「真琴。おまえ、ちょっとは気を利かせろよ」

凛が言うと、また笑いが起こった。真琴も渚も笑っていた。怒っていたはずの凛も、つられてほほが緩む。しかし、ベンチに座っている遙を見て、そんな浮かれた気分は、どこかに吹き飛んでしまった。

遙はひとり静かに、どこか遠くの一点を見つめていた。朝からひと言も遙の声を聞いていない。誰も遙に話し掛けられないでいた。感情らしきものを一切外に出さず、ただ無表情に遠くを見つめているだけだった。

昨日のことが無ければ、いつもの遙だと思えたかもしれない。頼られれば、必ず期待に応えてくれる遙なのだと。しかし……。

凛の中で、何かが燃焼《ねんしょう》し始める。

——おれたちチームなんだぜ、ハル。信じろよ、おれたちを！

一人で泳いでるんじゃない。その思いが、体中を駆け巡る。

凛はロッカーの扉を閉め、ゴーグルのゴムをパチンと鳴らした。

「よし、行くぜ！」

亜紀が、一着でゴールにタッチした。順位よりもタイムが気になる。振り向いて時計を見ると、練習でもなかなか出せないような好タイムが表示されていた。

「よし！」

亜紀は水の中で、小さくこぶしを握りしめた。昨日とは、まるで違っていた。練習どおりに体が動いてくれた。練習以上に、気持ちを込めて泳ぐことができた。

――行ける。この調子なら、決勝でも絶対にトップを争える！

そう確信できた。

優希の手に引かれて上がると、みんなが笑顔で迎えてくれた。

「やったね、ザキ」

「うん、次は決勝だよ」

「いいタイム、出たね」

「ほんと、これなら絶対行けるよ」

亜紀たち四人の表情も、昨日とはまるで違っていた。チームの調子が上がってきていることを誰もが実感していた。

亜紀たちは、そのままプールサイドの出入り口付近に残り、男子の応援をすることにした。女子の第二レースが終わり、男子の第一レースでは佐野SCがトップでゴールしていた。凛のいたスイミングクラブである。

スタート位置に向かう男子の第二グループが、亜紀の前を通り掛かる。その中に、真琴の笑顔があった。

「おめでと、ザキちゃん。次もがんばって」

「うん、ありがと。橘君もがんばってね」

真琴の上げた手に亜紀の手が重なり、パチンという音を立ててすれ違って行く。

スタート位置に向かいながら、真琴は小さく波を立てているプールに目を移した。

水への恐怖心は、まだ消えていない。あの中に魔物が潜んでいるのだという思いは、今も胸の中にある。吸い込まれ、絡み取られ、引きずり込まれてしまうのではないかという思いが、まだへばり付いていた。

もし、これが個人競技だったなら、この場にいる今でさえ足がすくんでいたかもしれない。一歩も前に進めず、立ち尽くしていたかもしれない。だが、今は仲間がいる。共に泳いできたチームがある。助け合うとか、支え合うとか言えば、遙に怒られるかもしれない。しかし真琴は今、確かに支えられているのだと感じていた。誰も助けていないかもしれないし、そんな力もないかもしれない。だけど、支えられていることは、ごまかしようのない事実だった。真琴は仲間に支えられて、今ここに立っていた。

勝ちたいという思いが、今までになく強く激しく湧き上がってくる。胸が、背中が、腕が、足が、そして体の奥が熱くなってくる。誰かのためとか、何かのためとか、ましてや自分のためなどではない。勝つためにみんなで努力し、悩み、あがいてきたのだ。だから勝ちたいと思う。この気持ちだけは、誰にも負けない。誰にも譲れない。

「……ハル」

誰にも聞こえないように小さくつぶやいて、遙を見る。そして、ギュッと右のこぶしを握りしめ、真琴は水際へと足を踏み出した。


「ねえ、ハルちゃん」

もうすぐレースが始まろうかという頃になって、渚が話し掛けてきた。今日はまだ、誰とも話をしていない。誰も遙に触れられないでいた。しかし渚は、平気でその垣根《かきね》を飛び越えて来たのである。こだわっていたことが、急につまらないものに思えてしまうほど、あっけなく、あっさりと。

「どうしよう。ぼく、緊張してきたよ」

そんな素振《そぶ》りも見せずに渚が言う。遙は、口の端を少し上げた。

「おまえが？　冗談」

「ほんとだよ。ほら見て、手のひらが汗でびっしょり。足だって震えてるよ」

そう言って、ひざをガクガクさせて見せる。どこまで本気でやっているのか計りかね、頭を軽く小突いてやると、渚はひざの動きを止めて、恥ずかしそうにうつむいた。

「ごめん、足はうそ。でも、ほんとに緊張してるんだよ。昨日だってスタートで失敗しちゃったし、もし今日も失敗したらどうしようって、そればっかり思っちゃうんだ。それで、もし勝てなかったら、やっぱりぼくのせいになっちゃうよね？」

　渚の言っていることは、至って単純なことだった。何も飾らない、素直な気持ちを自分の中から見つけ出し、言葉にしている。幼いのか純粋なのか、とにかく遙には、真似のできないことだった。

「つまんないこと、考えてんじゃないよ」

「つまんなくないよ。すっごく大事なことだよ」

　渚にとってはそうかもしれないが、やはりつまらないことだと思い、遙は小さく息をついた。

「じゃあ、おまえは誰かが抜かれたりしたら、そいつのせいで負けたって思うのか」

「えー、思わないよ。そんなこと」

　何かを言う代わりに、遙は渚の目を見つめた。遙と渚が、互いに瞳の奥を覗き込む。それでようやく、渚は自分の言っていることが矛盾《むじゅん》しているのだと気が付いた。

「あっ、そうか。でもやっぱり責任、感じちゃうよ」

「そんなことは、責任を感じれるぐらい、速くなってから言えよ」

「あっ、そうか。あれ？　なんか急に楽になっちゃった。ハルちゃんと話してたら、緊張がなくなっちゃった」

　単純なのか何なのか、変な奴だと思いながら、遙はまた口の端を少し上げた。

第一泳者は真琴、二番手は渚、三番手は凛、アンカーは遙。当然、昨日と同じ順番であるが、結果まで同じにするつもりはなかった。

佐野SCは、前レースでトップタイムを叩き出し、決勝進出を確実にしている。凛は、もう一度宗介と泳ぐのだという思いを胸の中で燃焼させながら、スタートの合図を待つ真琴を見ていた。

短いホイッスルが四回と、長いホイッスルで入水。次の長いホイッスルで、グリップを握る。

『Take your marks!』

――静寂――

短いブザー音と同時に、全員が一斉に跳ねる。頭が出たところで、真琴がトップに立った。きれいなストリームラインをキープする。

どの泳法でも、ストリームラインを意識するのは重要なことだが、背泳ぎは特にそれが難しい。複雑なS字プルにその原因があった。手を頭の先から入水させ、深く回さねばならないため、肩が固いと安定しないのである。それを補うためにローリングの傾きを大きくすれば、今度は体が沈んでしまい、スピードが出なくなる。ストリームラインを安定させたまま、効率の良いS字プルを行うには、肩の柔らかさが必要不可欠なのである。

真琴の場合、肩の柔らかさは一級品だった。後ろで繋いだ手を、頭越しに前へ持ってくることができる。

ターンで反転し、壁を蹴る。そして、ストロークを開始すると、またグンッと伸びて、他の選手を引き離して行く。

凛は、真琴が背泳ぎに向いているのだと思っていた。肩の柔らかさもそうだが、背中が強いのである。背泳ぎは、〝背面で泳ぐ〟のではなく、〝背中で泳ぐ〟ということなのだ。背中の強さがローリングを安定させ、きれいなS字プルを描き出すのである。

プッシュと同時にエントリー側の手を伸ばす。伸ばした反動で戻ろうとする力を利用して、水をキャッチする。一連の動作に、まったく無駄が無い。背中の強さが、ローリングを安定させているからだ。

真琴は、飛沫を上げながら力強いストロークを繰り返し、トップを守ったまま壁にタッチした。

渚が跳ぶ。若干、タイミングが遅れた。しかも、いつものぎこちない飛び込みだ。一掻き、一蹴り。それでもなんとか、トップをキープしたまま浮上。

渚が他の泳法に比べて、平泳ぎが得意なのには理由があった。足首が柔らかいのである。つま先を手で押さえ込むと、すねに付いてしまうのだ。つまり、真後ろに、それも足の裏全体で水を蹴ることができた。

ただ、平泳ぎは四泳法の中でも、最も体力を消耗する泳ぎ方であるため、渚は50mの手前で、いつも一度失速してしまう。今も一人抜かれ、ターンの直後にも抜かれてしまった。渚は頭の中で、〝抜かれた〟を連呼していることだろう。それが、〝抜き返す〟になった時、伝家《でんか》の宝刀《ほうとう》が出るのだ。

アップキック――。ドルフィンキックの上向きの動きをしながら足を引き寄せることで、水の抵抗を少なくするだけでなく、その動作自体が推進力にもなるのである。これは、教えてできるものではない。持って生まれた感性のようなものが無ければ、誰にでもできるという泳ぎ方ではなかった。だからこそ、体で覚えるタイプの渚には、合っているのかもしれない。あるいは、あのバタフライの練習が功《こう》を奏《そう》しているのだろうか。だとしたら、教えがいがあったというものだ。

しかし、渚が加速する理由は、それだけではなかった。まだ、言葉では説明のできない何かがある。並んで泳いだ者でなければわからない何かが。言ってしまえば、気迫《きはく》のようなものだが、それともまた異なる。あの、ぞわぞわとした感触……。

渚がグンッと伸びて、二位の選手に並び掛けると、並び掛けられた選手がバランスを崩し、後退していく。そこから、もう一度伸びて一位とわずかな差でタッチ。

凛が、クラウチングスタートから射出《しゃしゅつ》する。飛びながら体が軽いと思った。どこまでも飛べるような気がした。時間がゆっくりと流れる。

——着水しない！

まだ宙にいる。感覚はどんどん先へ行っているのに、時間が着いて来ないのだ。周りの世界も、自分の体も、みんな止まって見えた。アンバランスな時間と感覚の間で戸惑い、戸惑いは体の揺れとなって現れた。しまったと思った時には既に遅く、凛は着水に失敗していた。

順位を大きく落とし、五位に後退。最悪だった。ダッシュ力が一番の売りである凛が、スタートで失敗してしまったのである。焦らないわけがない。落ち着いて何かを考える余裕など、どこかに吹き飛んでしまっていた。もう冷静なんかでいられない。がむしゃらに突き進むこと以外、何も考えられなくなっていた。

レースのペースは、それほど速いわけではなかった。いつもの凛なら、スタートの失敗を差し引いても、十分にトップを争えるはずだった。しかし、50mのターンをするまで、自分を取り戻すことができなかったのである。

何とか追い上げようとしたが、タッチしたのは、ようやくの四位。頭上を跳ぶ遙を見送る余裕さえ無かった。

ふいに、光を感じて振り向く。遙が泳いでいた。遙が、光を放ちながら泳いでいた。強いエネルギーが光となって、まぶしいほどに遙から放出されていた。

凛は、動けなかった。目を離せなかった。大空に舞う水鳥のように翼を広げ、滑るように泳ぐ遙に心を奪われてしまった。

凛が真琴に手を引かれ、なんとかプールサイドに上がったのは、遙がターンをしてからだった。圧倒的な差を付けて、遙の頭が浮上する。そこから、ストロークを開始。

抱きしめるようなキャッチ。柔らかく優美《ゆうび》にしなるキック。流れるようなローリング。そして、その静かなフォームからは、想像もできないほどのハイスピード。

現実を超越《ちょうえつ》した光景が、凛だけではなく、見る者すべてを引き付けて放さなかった。いや、見ているのではない。感じているのだ。ここにいる誰もが、熱く高鳴る鼓動を感じずにはいられなかったはずだ。

遙がゴールにタッチした。タイムも見ずに、軽くプールサイドへ上がって来る。レースであったことを忘れてしまいそうになるほど軽い調子で。

泳ぎ終わってからも、まだ冷めやらぬエネルギーが、遙の体から静かに放出され続けていた。そのエネルギーに圧されて、誰も近づくことができなかった。動けないのである。

また遙が速くなった。それなのに、悔しさすら湧いてこない。ただ遙の放出するエネルギーに、さらされているだけしかなかった。

凛が、自分の手を見る。小刻みに震えていた。凛だけではない。真琴の背中も震えていた。渚の足も、歩けないほどに震えていた。

遙が渚に歩み寄り、肩に右手を置いた。その途端、渚の目から涙があふれた。渚の口から叫びがあふれた。遙に抱きつきながら、大声を上げて泣いた。人目もはばからず、遙にしがみつ

いて泣きじゃくっていた。

遙は、おどろくことも戸惑うこともなく、渚の頭に手を置いた。

「次は、決勝だ」

「うん、ハルちゃん。ハルちゃん！」

遙の顔を見上げたあと、渚はもう一度、遙の胸で泣いた。


ロッカールームでは、よろこびの声や、なぐさめの声が雑然と入り交っていた。そして、その中に張り巡らされていく緊張の糸。どの競技も、これから決勝が行われるのである。遙が出るはずだったフリーも、真琴が泳ぐはずだった平泳ぎも。そして四人で泳ぐメドレーリレーも。

遙たちは、それぞれに無言のままベンチに座っていた。渚の目には、まだ少し赤みが残っているものの、呼吸の乱れも無く、すっかり落ち着きを取り戻していた。真琴は軽く肩を回しながら、決勝に向けての集中力を高めていた。遙は、ただ無表情に一点を見つめていた。例えるなら、未来を見つめているような遠い眼差しで。

そして凛は、まだ迷っていた。

本気で向き合おうと決めたはずなのに、あと一歩がどうしても踏み出せないでいた。何もかも話してしまえば、楽になれるのかもしれないのに……。

いや、楽になるために話すのではない。本当のチームになるために話すのだ。自分の思いを隠したままでは、最高の泳ぎなどできない。できるはずがないのだ。そうわかっているのに、まだ迷っている自分が、どうにも歯がゆかった。

「松岡」

ふいに名前を呼ばれて遙を見る。遙の視線は、別のどこか遠い場所に向けられたままだった。

「さっきは、どうした？」

責めるような口調ではなかった。本当にわからないから訊いている。そんな感じだった。

――昨日、お前があんな泳ぎをしたから……。

そこまで考えて、考えるのをやめた。言い訳をいくら口にしたところで、何も始まらないのだ。緊張していたのだろうか。それもあるだろう。むしろ気合が入り過ぎていたのかもしれない。自分がやらなければと思うあまり、テンションが必要以上に上がり、冷静な判断力を失っていたのだ。今頃わかったところで、しかたのないことだが。

「すまん」

素直に詫びた。それしか言葉が見つからなかった。

遙が凛に目を向ける。

「わるいな、よけいな心配させて」

かろうじて聞こえるような声で遙が言った。凛は、胸に詰まった空気をゆっくり吐き出しながら、気持が軽くなっていくのを感じていた。

――あやまんなよ。おまえは自分の好きなように、泳いでりゃいいんだよ。

凛は笑顔でうなずき、遙に無言で返した。

そうだった。ここまで来てジタバタしても、しようがないのだ。真琴が、八の字眉毛を上げて凛を見ている。渚の透き通った瞳に凛が映っている。今更隠したり、飾り立てたりする必要など何もないのだ。ありのままをぶつけるつもりで話せばいいのだ。

「みんな、ありがと。おれのわがままに、ここまで付き合ってくれて」

凛が言うと、真琴がいつもの笑みを見せた。

「別に付き合ってるわけじゃないよ。みんな、ここにいたいから、ここにいるんだもん」

「そうだよな。そうだったよな」

真琴はそう言ってくれるが、無理も言ったし、嫌な思いもさせた。つらい練習にも付き合わせたし、メドレーリレー以外の種目もがまんしてもらった。だから、やっぱり感謝している。だから、やっぱり言わなければならないのだ。本当のことを――。

「言おうかどうしようかって、ずっと迷ってたことがあるんだ。次のレース、泣いても笑っても最後だろ。だからその前に、やっぱり言っておきたいんだ。おれの、おやじの話なんだけど……」

そこで言葉を一度切る。三人は何も言わずに凛を見ていた。

凛が覚悟を決めて、大きく息を吸う。長い長い、潜水を始める前のように。

「おれのおやじは、岩鳶SCの一期生《いっきせい》だったんだ。休憩室のとこに写真が飾ってあるだろ。あの中に、おやじがいるんだ」

毎年三月に撮っている、集合写真のことである。その一番端の、一番古い写真。トロフィーを持った少年が、まん中でうれしそうに笑っているのがそれだ。

「六年生だったおやじは、メドレー継で優勝したらしい。将来の夢は、オリンピックの選手になることだったんだとさ」

いかにも子供っぽい夢だろ。笑えるよな。そんな感じで凛が口の端を歪《ゆが》めてみせるが、うまく笑みにならなかった。

「結局、おやじは、オリンピックの選手にはなんなくて、漁師になった」

言葉を切る。次の言葉をためらう。真琴が八の字眉毛を寄せる。遙が目を細める。渚の喉《のど》が小さく動く。

凛は、うつむきかけた心を奮い立たせて顔を上げた。

「漁師になって、……沈んじまった。漁港から三キロも離れてない所だったたって聞いてる」

真琴の喉から、声にならない音がもれた。

「ハル……」

すがるように遙を見る。遙が真琴の目を見返す。この二人は、無言のまま会話をすることができた。おそらく、もう何年も前のことを互いに確認し合っているのだろう。

凛はその様子を見て、あの時の二人が遙と真琴であったのだと確信することができた。

遙が、険しい表情を凛に向けてくる。

「おれたち……、会っていたのか？」

凛は、軽く笑みを見せながらうなずいた。

「みたいだな……」

妹の手をひきながら歩いていた。父親がいなくなったことより、周りの人たちの悲しむ姿がつらかった。ふと、視線を感じて振り向くと、同じ年頃の子供が二人、じっと凛たちを見つめていた。グイッと涙を拭《ぬぐ》い、見つめ返すと、二人はどこかに走り去ってしまった。

「いつから、知ってたんだ？」

遙が訊いてくる。

「ハルが川に落ちて、救急車で運ばれる時、真琴がずっとハルの服をつかんでたんだ」

服を端の方だけつかんで、震えながら遙の名前を呼び続けていた。

「あの時に、そうかもしれないって思った。服を握る真琴の手を見て、そう思ったんだ」

遙と真琴が顔を見合わせる。そして、また無言で会話をする。

凛は、話を続けた。

「おれは、オーストラリアへ行くことに決めた。そう決めたら、むしょうにおやじと話がしたくなったんだ。正直、顔も覚えてないし、思い出らしいものなんて何ひとつ残ってない。漁に出ると、何日も帰らなかったらしいから、無理もないんだけど……」

　遙が凛に訊く。

「話せたのか」

「わからない。たぶん、まだ……。ただ、おやじと同じスイミングクラブに入って、メド継で優勝できたら、おれも同じ夢、見れるかもしれないって思ったんだ。でも、そんなことみんなには関係ないいし、なんかちょっと照れくさいし、だから黙ってたんだけど……、だけどさ、おまえらと正面から向き合わなきゃ、ほんとのチームになれないって思ったんだ。自分勝手な話だけど、ほんとにそう思った。おれ、おまえらと、ほんとの……最高のチームになりたいんだ！」

　凛の目が、熱くなる。熱いものがあふれてくる。その目で、遙を見る。真琴を見る。渚を見る。瞳の奥まで覗かれても構わないと思った。自分のすべてをさらけ出しても構わないと思った。この最高のチームメイトたちになら。

「最初に声かけたろ。ハルに負けたあと。あん時さ、岩鳶ＳＣに速い奴がいるってことが、なんだかうれしかったんだ。それが、おまえらみたいなのだったから、妙に気になったりしてさ、何度か顔合わせてるうちに、いいチーム、作れるかもって思ったんだ。ほんとだぜ」

　凛は、鼻をひとつすすった。

「それが理由だよ。ありがとな」

　もう何日も前に、真琴から質問されたことに対する返答だった。リレーだけを泳ぎたいと凛が言い出したあの時に、なぜリレーにこだわるのかと真琴に訊かれた、そのことに対する……。

渚が、新たに赤みを帯びた目をこすりながら凛に訊いた。

「でもさ、ずっと仲間だった佐野SCの人たち、怒ってないの？」

凛も目じりを一度拭い、渚に笑って見せる。

「あいつらには、ちゃんとわかってもらったよ。それにさ、宗介とは、同じチームじゃない方がいいんだ」

「宗介って、昨日リンちゃんと泳いだ人？」

「そうだよ」

「どうして？」

「お互いに、わかりすぎてるからさ。あいつもおれ以上に理論派で、よく言い合ったりしてたんだ。で、いつも速い方が正しいってとこに落ち着くんだけど、もう競争心が半端じゃなくてさ。似た者どうしってのも、大変なんだぜ」

「きらいなの？」

「きらいじゃないさ。むしろ、今でもおれの一番の理解者だと思ってる。だけどさ、時々一緒にいるのが、つらくなるんだ……。あいつの気持ちがわかってしまうと、ほんとに言いたいことが、何も言えなくなってしまうんだ。本気でぶつかり合うことが、できなくなるんだ。そんなの友達じゃなくて、分身みたいなものじゃないか。分身に好きも嫌いもないだろ。そんなふうになっちまうと、もう友達だって思えなくなって、ほんとにつらいんだぜ……。おまえらみたいに、わけのわかんない奴らと泳いでる方が、おもしろいってことだよ。苦労も多いけど」

「わけわかんないって、どういう意味？」

「ゴール間際《まぎわ》で、腕が伸びる奴とかさ」

「それって、ぼくのこと？」

「ムダに全力で、泳ぎまくってる奴とかさ」

「それ、マコちゃんのことだね」

「ダメかと思ってたら、とんでもない泳ぎをする奴とかさ」

「ハルちゃん、すごかったもんね」

「おまえら、ほんと変な奴らだよ」

真琴が八の字眉毛を上げて、屈託のない笑顔を見せる。

「泣き虫で、夢を語るようなロマンチストもいるしね」

凛は何かを言い返そうとしたが、その通りだと思い、口元がほころんだ。

おやじのチームは、どんなだったのだろうかと思いを馳《は》せてみる。優勝したんだから、きっといいチームだったんだろうけど。

――でもさ、おやじ。悪いけどこのチーム、最高だぜ！

決勝の始まりを告げるアナウンスが、ロッカールームに流れた。目に見えない緊張の糸が、複雑に絡み合いながら張詰めていく。

凛はゴーグルを装着し、ゴムをパチンと鳴らした。

「最後は、決めるぜ！」

「うん！」

真琴が、八の字眉毛を上げながら胸を張ってみせる。

「よっし！」

渚が凛を真似て、ゴーグルのゴムを鳴らす。

そして遙が、静かに強いエネルギーを体から放つ。

ふと、風が吹いたような気がした。潮《しお》の香りをわずかに含んでいる風だった。睦月橋に吹く風と、よく似ていると思った。その風は、まるで四人を決戦の場へと誘うように、音も無くロッカールームを吹き抜けて行った。


「明日だったよな」

スタート台の前で並びながら、隣の宗介が凛に話し掛けて来た。オーストラリアへ出発する日が、明日であることを確認しているのだ。

「ああ、次はずっと先だ」

次に自分たちが泳ぐのは、ずっと先になるのだと凛が返す。

「じゃあ、今日は勝っておかなきゃな」

「そういうことだな」

もし、今日負けてしまえば、何年もその悔しさ抱えたままになってしまう。そのことを互《たが》いに認識し合ったのである。

たったそれだけの会話だった。たったそれだけの会話の中に、何年か先にまた必ず競うのだという誓いが込められていた。競い合えるだけの力を付けていようという約束があった。それだけで十分だった。


真琴はグリップを握り、スタートの合図を待った。

『Take your marks!』

――静寂――

短いブザー音。

真琴が後ろに跳ねる。そして、着水。大きな魔物に、ざらりと舐められる感触。水を怖いと思う気持ちは、まだある。しかし、もう体がすくむようなことは無かった。たとえ心の隅に〝恐れ〟がへばりついていようとも、今はみんなに繋《つな》げるんだという気持ちが勝《まさ》っていた。その気持ちが、他の何よりも優先する。

もう、逃げていたんじゃだめだ。力の限り突き進むんだ。自分の心が、そう命じている。迷う必要なんか何もない。ただ全力で泳ぐのみであると。

浮上しながら、ストロークを開始する。空の青さに目を細める。屋内《おくない》であっても、ゴーグルをしていても、空のまぶしさを感じることができた。真琴は、レースであることを忘れそうになるほど、気持ち良く泳いでいた。

ターンをして浮上すると、真琴の上げる飛沫の形が少し変わった。同時に、潮の香りが体を包み込んでゆく。妙な感覚だった。いや、感覚だけではない。目に見えるもの、耳に聞こえるものの全てが、海に変わっていた。光に満ちた青い空を映して、波立つ海面《かいめん》が静かに乱反射《らんはんしゃ》していた。

真琴は今、大海原《おおうなばら》のまん中を泳いでいた。

海で泳ぐようなことは、もう何年もなかった。しかし、恐れは無い。気持ちがいいとさえ思う。この水の中にも、きっと魔物はいるのだろう。今にも真琴に襲い掛からんとして、深い海の底で身を潜めているに違いない。

しかし、今の真琴にはやるべきことがあった。どうしても、やらなければならない使命があった。遙に、遙たちのもとに、誰よりも速くたどり着くこと。その使命のためになら、どんな魔物であろうとも恐れるに足らなかった。

真琴は、波を蹴立《けた》てて海獣となった。尾びれを叩き付け、全身をしならせ、力強く水を押しのけながら突き進んで行く。海に棲《す》むどんな生き物よりも速く、速く。

――届け！

気持ちを込めて壁を叩き、体を起こしながら叫ぶ。

「行け、渚！」

渚の体が宙を舞い、きれいな角度で着水する。水面を境《さかい》にして、渚をとりまく世界が変わってゆく。光も音も、みんな静かに揺らめき出す。そして、渚は単純な思考の極みへと昇り詰めて行った。速く泳ぐという、ただその一点に。

水の塊をガツンと蹴る。水をつかんでグイッと掻き分ける。前へ、前へと意識を向ける。体力の消耗を感じない。まだ行ける。まだ泳げる。このまま、どこまでも進めそうな気がする。

両手を壁面に付いてターン。一掻き、一蹴り。

ふと、前に誰かが泳いでいることに気が付いた。同じレーンである。そんなはずはないと思うが、確かに誰かが泳いでいた。誰だろうと意識を向けてみる。その途端、強いエネルギーの放出を感じて胸が熱くなった。

――ハルちゃんだ！

間違いない。遙が自分の前を泳いでいる。

――着いて来い。

遙が言う。

——うん、ハルちゃん。
絶対に離されるものかと思いながら、腕を伸ばす。
——なかなか速くなったじゃない。
——マコちゃん。
渚の右側に、いつの間にか真琴が泳いでいた。
——ほんと？　ぼく、速くなった？
左側に、凛が並び掛けて来る。
——あれだけ練習したんだせ。速くなってなきゃ、おかしいだろ。
——リンちゃん。
——ま、おれには勝てないけどね。
——ぼく、リンちゃんより速く泳げるよ。
——言うね。じゃあ証明してみろよ。
——よーし。
——がんばりすぎちゃだめだよ、渚。もっと力を抜かなきゃ。
——だって、がんばんなきゃ勝てないじゃない。
——がんばるのは、いいけど、ムダな力を入れちゃだめなんだよ。
——ふふ、マコちゃんだって、いつも力いっぱい泳いでるよ。

――しゃべってると、置いて行くぞ。

――あ、待ってよ。ハルちゃん。

睦月橋に吹いていた風が、渚をあと押しする。

――どこまで行くの？　ハルちゃん。

――決まってるだろ。ゴールまでさ。

――うん！

渚の腕がもう一段階伸びる。体が水に乗り、更に揚力《ようりょく》を得て加速して行く。みんなと一緒に泳げることがうれしくて、だからこそ誰よりも速く泳ぎたいのだと強く思う。その思いを込めて、壁にタッチした。

「リンちゃん、がんばれ！」

凛がクラウチングスタートの姿勢から射出する。渚のタッチから、自分の足がスタート台を蹴るまでのわずかな差ですら、正確に測ることができた。さっきのレースでも感じていた異様な集中力が、また凛に訪れたのである。しかし、もう戸惑ったりしない。もう、自分を見失うことはない。おどろくほど冷静に、状況を判断することができた。余計な緊張も気負《きお》いも何も無い。あるのは最高の泳ぎで遙に繋げたいという、その確かな思いだけだった。そして、極限を超えた集中力が、凛を急速に進化させていく。

レースをする八人のうち、誰がどのポジションにいるのか、宙を舞う今でさえ正確に知ることができた。理想的な角度で指先から着水していく。上がる飛沫の形さえ、手に取るようにわかった。目で見なくとも、感じ取れるのである。水中にできた、細かい泡の一粒まで数えることができた。

ドルフィンキックからストロークを開始する。キャッチ、そしてキーホールプル。わずかな乱れさえ微塵《みじん》も感じない。自分自身のフォームを、真上から見下ろすことができた。イメージではない。実際に見ているのだ。網膜《もうまく》の奥に、しっかりと映像を結んでいた。視野を広げれば、今泳いでいる全員のフォームを見ることもできる。たった今、宗介がスタートを切ったことさえ、寸分《すんぶん》の狂いも無く知ることができた。その息遣いさえ聞こえてくるようだ。

——おやじ……。

ターンのあと、ふと頭の隅をその言葉がよぎった。泳いでいる時によけいなことを考えるなと、宗介なら言うのかもしれない。しかし、それは考えようとしなくても、どんどん頭の中を占めてくるのだ。思い過ごしなんかじゃない。確かな事実として、心の奥から湧いてくるのだ。

——おやじが、この光景を見せてくれているのか。

胸が熱くなり、その温度が腕に、足に伝わってゆく。理想を超え、未だ見ぬ世界が目の前に広がる。あふれるほどの光に満ちた未来。その光の射す方へと、凛は腕を伸ばした。

——見せてやるよ。おれたち四人でなきゃ見れない、とびっきりの景色を！

凛の手が壁面に触れる。そして、顔を上げ、頭上を飛ぶ遙に叫ぶ。

「ハル！」

遙は、凛の声を聞きながら宙を舞った。あれほど自分を苛立たせた相手なのに、妙な心地よさを感じる。そんな自分がおかしくて、笑えてしまった。

着水して、体を滑り込ませて行く。力ずくで抑え付けるのでもなく、否定するのでもない。一体になるのでも、排他するのでもない。お互いの存在を受け入れ、認め合っていくのである。

水に依存していた自分を嫌悪し、強くあろうとした。そう思えば思うほど、水は重く執拗にまとわり付き、枷《かせ》のように自由を奪おうとしてきた。それでも遙は、ただ闇雲《やみくも》に手と足を動かし、がむしゃらに泳いでいた。水を感じることなど、とっくに忘れて。

その結果が昨日のレースである。無限の深さを持つ奈落《ならく》の底へと、どこまでも落ちていくような感覚だった。

準決勝の直前、渚が話し掛けて来た時、その瞳に自分は、どんなふうに映っているのだろうかと思った。渚はまっすぐに、何の疑いも無く、ただ速く泳ぐことだけを見つめていた。その瞳に映し出された自分は、どうしようもなく迷っていた。迷い揺れ、彷徨《さまよ》っていた。そして、弱々しく助けを求めていた。

このまま水という存在に抗《あらが》い続ければ、その先に何かが見えてくるのだろうか。あるいは、また依存することになろうとも、素直に受け入れるべきなのだろうか。誰かに助けを求め、何かにすがろうとしながら、そんな弱い自分を否定しようとしていた。

——何やってんだ？

さっきのレースで、凛の泳ぎを見ながら思ったことである。そして、そのまま自分自身に向けた言葉でもあった。弱い自分を癒そうとして水に依存《いぞん》するのも、強くあろうとして水を拒むのも、結局、同じことだったのである。渚が渚らしくあり続けるように、自分も自分らしくあり続ければいいのだ。それが、闇の淵《ふち》を彷徨《さまよ》いながら見つけ出すことのできた光だった。

体の中から、強いエネルギーが満ちてくる。それを抑えるつもりなど、もうなかった。真琴の思いが遙の中で燃焼《ねんしょう》する。渚の思いが遙に翼を与える。凛の思いが風となり、遙を加速させて行く。もう、何も迷うことはなかった。ただ自分の思いを強く信じて泳ぐ。それだけだった。

胸の中が、その奥が、どうしようもなくヒートアップしていく。まるで、炎を噴き出しているかのように、体が熱くなっていく。きらめく飛沫が体に触れた瞬間、すべて蒸発《じょうはつ》して消えていく。赤く焼け付いた腕が、足が、どんどん加熱していく。

やがて遙は一条《いちじょう》の光となり、まぶしいほどのハイスピードで水の中を突き抜けて行った。途方もなく、彼方にあるゴールに向かって。

岩鳶SCの裏手に回ると、ちょっとした庭があり、プールサイドからも眺めることができるようになっていた。その裏庭には、所狭しと様々な木々が植えられていて、季節ごとに異なった表情を見せていた。掃除《そうじ》や水やりなどの手入れをはじめ、植え替えや剪定《せんてい》なども、すべて館長が一人でやっているとのことで、ある意味この裏庭《うらにわ》は、館長の趣味が高じてできたものだといってもいいぐらいだった。

評判は、なかなかのもので、四季を通じて何かの花が咲き、ガラス越しにクラブに通う人たちの目を楽しませてくれていた。冬はツバキの赤い花。春には、菜の花からツツジ。初夏《しょか》のアジサイは、シャボン玉のようにふくらみ、キキョウがそのあとを追い掛ける。秋の金木犀《きんもくせい》は、その鮮やかな香りがプールサイドにまで匂い立ちそうなほどだった。

とりわけ今は、菜の花の黄色が裏庭を彩《いろど》っている。

凛と渚、それと遙の三人が、裏庭で真琴を待っていた。

「ねえ、リンちゃん。トロフィーなんか埋めちゃってどうするの？」

渚が訊いた。

「あれはさ、おれたち四人で獲ったもんだから、誰か一人が持って帰るってのも変だろ」

「じゃあ、クラブに飾ってもらえば？」

個人で獲得《かくとく》した大会のトロフィーや楯は、個人で所有《しょゆう》してもいいことになっているが、希望すればクラブで保管してもらい、ディスプレイに飾ってもらうこともできた。

「いいんだよ。あれは、誰かに見せびらかすようなものじゃないんだから。おれたちだけのトロフィーなんだよ。だから、友情の証《あかし》として埋《う》めるんだ。ま、タイムカプセルみたいなものだな」

「じゃあ、ずっと埋めたままなの？」

「いや。おれたちが、今日のことを、今日のメド継を思い出さなきゃならない日が、いつかきっと来る。その日が来たら、また掘り返すのさ」

「それって、いつ？」

「さあな。五年後か十年後か、その時になってみなきゃわかんないよ」

裏口のドアが開き、真琴が出て来た。手にはトロフィーと、園芸用のスコップをいくつか持っている。

「おまたせ。館長の許可、もらってきたよ。あとスコップも借りてきた」

勝手に埋めて、花を植え替えたりする時に発見され、処分されても困るので、一応許可を得ることにしたのである。トロフィーや楯は、一旦、クラブに持ち帰り、記念撮影のあと、それぞれの希望を聞くことになっていた。それで、真琴が引き取りに行っていたのである。

「よし。じゃあ、やるか」

凛は、置いてあったバッグを開け、中から大きなクッキーの空き缶を取り出した。

「すごいね、リンちゃん。いつもそんなの、持ってるの？」

渚が言い、凛があきれる。

「そんなわけないだろ。今日だけだよ」

「あ、ひょっとして、妹の江ちゃんが持って来たのって――」

「そう。これ」

「なぁんだ。置いとけばよかったのに」

「あのタイミングで出したら、いかにも〝お調子者《ちょうしもの》〟じゃないか」

真琴がスコップを配りながら訊いた。

「でもさ、トロフィーもらえるって、最初からわかってたの？」

「当たり前だろ、真琴。まさか優勝できないとでも思ってたのか？」

凛が空き缶のフタを開ける。

「そうじゃないけど、すごい自信だなって思ってさ」

真琴が、凛にトロフィーを渡す。片手で扱《あつか》える程度の大きさで、頭頂部《とうちょうぶ》にはスタートの姿勢を象《かたど》るレリーフがあり、それが遠目《とおめ》には鳥が羽を広げているようにも見えた。

クッキーの缶に入れてみると、ちょうど収まった。

「わっ、ぴったりだね」

渚が、おどろいて見せる。

「そりゃそうさ。去年のとおんなじだからな」

凜は、平泳ぎとフリーの50ｍで去年も優勝をしていた。

「それで館長、どこに埋めろって？」

フタをしながら、凜が真琴に訊いた。

「ツバキの下あたりだって」

「ツバキって、どれ？」

渚に訊かれて真琴と凜が裏庭を見渡していると、遙が指さした。

「あれだよ」

「すごいね、ハル。知ってるんだ」

真琴が、八の字眉毛を上げて感心する。

「赤い花が咲き始めた時、矢崎が言ってた」

凜がスコップと缶を持って、ツバキに向かう。

「よし、掘るぞ」

凜がスコップを土に突き立てると、真琴と渚も同じところを掘り始めた。しかし、意外に土は固く、なかなか思うように掘り進むことができない。

「ハル。おまえも見てないで手伝えよ」

凜が言うと、遙は園芸用のスコップを放り出し、裏口からクラブに入ってしまった。

「ちぇ、勝手な奴」

仕方なく、また三人で掘っていると、遙が大きなショベルを持って戻って来た。

「そんなんでチマチマやってると、日が暮れるぞ」

言うなりショベルを突き立て、足でグイッと踏み込み、ザックザックと掘り始めた。園芸用のスコップは、すっかり出番を取られ、三人は遙の掘りっぷりを眺めているだけになってしまった。

その遙の踏み込む足が、ふいに止まった。

「どうしたの？　ハル」

真琴が訊いた。

「なんか、ある」

「なにがあるの？」

渚が覗き込む。

「……箱？」

真琴が園芸用スコップで、慎重に掘ってみる。

「これって、〝おどうぐばこ〟だよ。先客がいたんだね」

凛も覗き込む。〝おどうぐばこ〟は、透明のビニール袋に入っていた。

「名前……書いてるぞ」

真琴が土を払いのけると、〝まつおかりん〟の文字が読み取れた。

「おれ？　あ、これ、幼稚園の時、使ってたやつだ。でも、なんで？」

凛が箱を見つめていると、遙が言った。

「開けてみれば、わかるだろ」

「……うん」

凛が箱を掘り起こして、ビニールを取り、フタを開けてみる。中には、金メダルが四つ、入っていた。

渚が凛の隣から覗き込む。

「『第十八回』って書いてあるね」

「今年が四十一回だから、えっと、二十三年前だね」

「——」

真琴が言うと、凛はメダルをつかんで立ち上がり、クラブの裏口へ走り出した。ドアを開けて中に入ると、そのままロビーを横切って歴代会員の写真が飾られている休憩室まで走った。

そして、一番端の一番古い写真の前に立つ。トロフィーを持って笑う少年の首にかけられているメダルに、『第十八回』の文字が読み取れた。手にしたメダルと見比べる。間違いない——。

「……おやじ」

凛のほほを涙が伝う。

あの箱を埋めたのは、二十三年前ではない。凛が〝おどうぐばこ〟を使わなくなったのは、小学校に入ってからだ。そしてその頃には、もう父親はいなかった。つまり、他の三人が埋めたことになる。永遠の友情を誓った証……だろうか。

「……おやじ」

凛は、もう一度つぶやいてから、左腕でグイッと涙を拭った。

そのあと、トロフィーの入ったクッキー缶は、〝おどうぐばこ〟の隣に埋められることになった。

桜が小さなつぼみをつけていた。風に揺れるその様子で、もう柔らかくなっているのだと手に取るようにわかった。あと三日もすれば、きっと咲き始めるのだろう。つぼみは、その時を待ちわびているかのように、全身で春の陽光を受け止めていた。桜の根元では、赤茶けたレンガに囲まれて、色とりどりの花たちが一足先に咲いている。

「やっぱ、まだ咲いてなかったな」

それほど残念そうな口振りでもなく、凛が言う。

「だからマコちゃんが、そう言ってたじゃない。まだに決まってるよ」

なじるわけでもなく、どこかおかしそうに渚が言う。

「だけどさ、今日で見納《みおさ》めだから、どうしても見ておきたかったんだよな」

凛は、つぼみのひとつひとつを愛しむように眺めていた。

「でもほら、花壇の花は咲いてるよ。これ何の花？　ザキちゃん」

真琴がしゃがみ込んで、花に手を伸ばす。薄茶けたマフラーを風に揺らして、亜紀も真琴の横にしゃがんだ。

「パンジー、だと思う。たぶん。実は、私もよく知らないんだ」

そう言って笑う。花がもう一輪咲いた。

その亜紀の隣に、渚もしゃがんだ。そして、レンガに書かれたメッセージを発見し、ひとつひとつ、声に出して読んでいく。

「〝友達〟、〝Peace〟、〝笑顔〟、〝love〟、〝ありがとう〟。ねえ、マコちゃんのはどれ？」

渚に訊かれて、真琴が自分のを探し始めた。

「どこだろう？　えーと、あ、これだ」

渚のすぐ足元にあった。指差したレンガに書かれている文字を渚が読んでみる。

「英語だよ。〝I Swim〟。泳ぐって意味？」

「そうだよ。〝ぼくは泳ぐ〟って意味」

「その隣が私」

「え？」

亜紀が指差すと、真琴が少しおどろいたように八の字眉毛を上げた。

渚がそれを読み上げる。

「また英語だよ。〝Best〟。これ知ってるよ。〝最高〟って意味でしょ」

亜紀がうなずき、その隣のレンガを指差す。

「私の横が七瀬君」

「〝Free〟。ああ、フリーのことだよね」

後ろから凛が指差す。

「その隣がおれのだよ」

「〝For The Team〟。チーム……？　どういう意味？」

「〝チームのために〟ってことだけど、これって偶然《ぐうぜん》にしちゃできすぎだよな。四人とも英語だし、なんか文章みたいに並んでるし」

英語で書かれたレンガは、他にもあり、たまたま並んでいたとしても不思議ではなかったが、明らかに作為的なものを感じる。

亜紀がいたずらっぽく笑った。

「私が並べたんだ。レンガを七瀬君に渡している時、メッセージ見てたら、おもしろいかなって思ったの。だけど、文章みたいにつながっちゃったのは、ほんと偶然。ちょっとびっくり」

凛が、腕組みをして目を閉じる。

「これは、偶然なんかじゃないよ。運命なのさ」

大げさな口ぶりに、真琴と渚が顔を合わせて笑い出す。

「リンちゃんって、へたな俳優《はいゆう》さんみたい」

「な……！」

凛が何かを言い返そうとして渚に向き直った時、亜紀がみんなのメッセージを口に出して読み始めた。

「"I Swim Best Free For The Team"」

パンジーに語り掛けているような亜紀の声が、春の風と共に流れる。

渚に文句を言い損ねた凛が、ひとつ息をついて笑みを浮べた。

「なんかいい言葉っぽいよね。今のおれたちにピッタリって感じ」

真琴が、レンガに顔を近付けながら首をかしげる。

「だけどこれって、ちゃんと文章になってるのかな？」

凛と亜紀も首をかしげた。

「さあ……」

ふいに、渚が黄色い花を指差す。

「見て。ほら、あそこ」

「え、どこ？」

真琴と亜紀が渚の指差す方を見る。

「ほら、あの黄色い花の中」

そう言われて二人が顔を近付けると、花の中に一匹の虫がいた。黄色と黒の縞の入った腹部が見える。それがミツバチであるとわかったのと、そのミツバチが花から飛び立つのが同時だった。

「わっ」

「きゃっ」

真琴と亜紀は、反射的に飛び退《の》いて花壇から離れた。しかし、ミツバチは、そ知らぬ顔で次の花に止まり、また蜜を集め始める。

渚が小さな子供を見るような目で、二人のことを笑った。

「大丈夫だよ。二人とも、こわがりだよね。ほら」

渚は両手を差し出すと、息を呑む間もなく、ミツバチを包み込んでしまった。

凛が渚の手を、その中にいるミツバチを指差しながら、あわてて言う。

「お、おい、ハチだぜ。それ」

「知ってるよ。リンちゃんもこわいの」

「いや、そうじゃなくて。早く逃がせって」

クスクス笑いながら、渚は遙の顔に向かって、閉じた両手を差し出して見せた。

「ハルちゃんもこわい？」

「いや」

遙は身じろぎもせず、ただ無表情のまま、じっとその手を見ていた。渚がゆっくり手を広げると、手のひらに蜜を探していたのか、ミツバチが小さな動きで這い回っていた。やがて思い出したように羽を動かすと、遙のほほをかすめて飛び去ってしまった。

遙は、そのハチを見送ったあと、視線をゆっくり凛に移した。

「おやじさんには、会えたのか」

あの時、宗介が言ったことを遙が口にする。

「ああ、まあな。そっちは？　いい景色見れたろ」

「たぶんな」

真琴が、八の字眉毛を上げる。

「ぼくも見れたよ。なんかちょっと不思議だったけど」

渚が、満面の笑みを振りまく。

「ぼくも！　すっごくいい気分だった」

広い校庭いっぱいに、その声が響く。日曜日ということもあって、五人の他には誰もいない。あとしばらくすれば桜の花が咲き乱れ、また新たな子供たちの声が、この校庭にあふれることだろう。

亜紀が、春の匂いのする空気を胸いっぱいに吸い込んだ。

「だけど、すごいよね。あっさり優勝しちゃうんだもん。それも大会新記録だなんて、ほんと、すごいよ」

真琴も亜紀を真似て、空気を吸い込んでみる。微かに潮の香りがした。

「ザキちゃんたちだって、しっかり銅メダル取ったじゃない。すごいよ」

亜紀はうなずき、自分たちはすごいのだと肯定して見せる。

「私ね、水泳のこと、また少し好きになったかも」

凛が腕を組んでうなずく。真琴が八の字眉毛を上げて笑顔を見せる。渚が自分もそう思うと言い、遙を見る。遙は空を見上げていた。空の果てを探し求めているかのような、遠い眼差しで。

「凛」

遙が凛の名を呼び、一瞬だけ時が止まった。真琴と亜紀が遙を見る。そして、下の名前で呼ばれた凛が、くすぐったそうに返事をする。

「なんだよ」

「おやじさんの夢、追い掛けるのか」

「わからないよ。今はまだ」

今はまだわからなくとも、たとえゴールが見えなくとも、それを探すために全力で突っ走ることができる。それが彼らに与えられた特権だった。

桜の枝が鳴った。振り向くと風が吹いていた。その風が遙たちの頭上を越え、春の陽光をまといながら、校庭を駆け抜けてゆく。そして再び加速すると、大空へと舞い上がって行った。

遥かな未来へと、彼らを誘うように。

あとがき

まずは、拙作を手にして頂いた皆様に深く感謝申し上げます。『第二回京都アニメーション大賞』にて奨励賞を頂いたことが、遥か昔のことのように思い起こされます。その時には、こうして出版して頂けるとは夢にも思わず、今はただ万感胸に迫る思いです。

出版に向けてのお話を頂いた時、まず最初に思ったのは、〝遙たちに、また逢える〟ということでした。久し振りに原稿用紙をめくると、彼らは迸る躍動感もそのままにキラキラと輝きを放っていました。『よっ、またよろしくな』なんて声を掛けると、遙はいつものように無愛想な表情で、ちらりと視線を向けてくれました。

小学六年生というのは、ちょうど大人のような考え方が芽生え始める微妙な時期で、最上級生としての責任感や一個の人間として自立心を持つようになります。子供のままではいられないと気付いた彼らは、迷いや戸惑いの中で苦悩し、その苦悩が彼らの心を成長させていきます。スポーツをしていても、勉強をしていても、遊んでいる時でも、泣いている時でも、例え何もせずに立っているだけであっても彼らはキラキラと輝いているのです。

そんな彼らを描きたいと思ったのが切っ掛けでした。そして、水泳の物語にしようと思った時には、もう一行目を書き始めていました。

『水は生きている』

この冒頭でストーリーの方向性が、ほぼ決まりました。コンセプトは、〝将来、天才と呼ばれるスイマーたちが、まだ目覚める前の物語〟。テーマは、〝水泳を通して、少年たちの友情と成長を描く〟。設定や構成は、書きながら考えました。乱暴なやり方でしたが、書き切る自信はありました。そう思わせるだけの力が、この〝一行目〟にはあったのです。

そして、すべてを書き終えた時、ようやく作品に込められたメッセージが、浮かび上がるように見えてきました。『ああ、自分はこういうことを言いたかったのか』などと、まるで他人事のように思いながら、できあがったばかりの作品を眺めていました。

メッセージは、時代や環境の変化に左右されない普遍性を持っていなければなりません。なぜなら、それこそが人間の本質を表すものだからです。

それが何なのか、あえて述べずにおきます。答えはありません。みなさんの感じたことが答えなのです。もし何も感じ取ることができなければ、それは作者の力不足です。拙作を手にして頂いた方の多くが、それぞれに何かを感じて頂ければ、こんなに嬉しいことはありません。

これからもより多くの方々に、より多くのことを感じ取って頂けるような作品を世に送り出して行きたいと思います。

最後になりましたが、出版にあたってご尽力下さいましたすべての方々に厚く御礼申し上げます。

二〇一三年　薫風の候　　　おおじ　こうじ

KAエスマ文庫
ハイ☆スピード！
平成25年07月03日　初版発行
平成25年08月09日　第2版発行

著　者 – おおじこうじ

発行者 – 八田英明

発行所 – 株式会社京都アニメーション
〒611-0002　京都府宇治市木幡大瀬戸32番地
TEL:0774-33-1130
http://www.kyotoanimation.co.jp/

装　丁 – 株式会社京都アニメーションKAエスマ文庫編集部

印刷所 – 和多田印刷株式会社

ISBN　978-4-907064-06-8